GOLDMANN KLASSIKER

Band 7521
—

Theodor Fontane · Irrungen Wirrungen

THEODOR FONTANE
Romane und Erzählungen in 10 Bänden

Grete Minde; Ellernklipp (1570) DM 3,–

L'Adultera; Unterm Birnbaum (1571) DM 4,–

Schach von Wuthenow; Stine (1572) DM 3,–

Cécile (1573) DM 3,–

Irrungen Wirrungen (7521) DM 4,–

Unwiederbringlich (1575) DM 3,–

Frau Jenny Treibel (7522) DM 4,–

Effi Briest (1576/77) DM 5,–

Die Poggenpuhls; Mathilde Möhring (1578) DM 3,–

Der Stechlin (7525) DM 7,–

THEODOR FONTANE

Irrungen Wirrungen

Roman

WILHELM GOLDMANN VERLAG

MÜNCHEN

70311 · Made in Germany · II · 16125

Alle Rechte vorbehalten. Umschlaggestaltung: Ilsegard Reiner. Umschlag-
bild: Ulrik Schramm. Gesetzt aus der Linotype-Garamond-Antiqua. Druck:
Presse-Druck Augsburg. Verlagsnummer 7521   K/Hu

ISBN 3-442-07521-1

IRRUNGEN WIRRUNGEN

Roman

Erstes Kapitel

An dem Schnittpunkt von Kurfürstendamm und Kurfürstenstraße, schräg gegenüber dem »Zoologischen«, befand sich in der Mitte der siebziger Jahre noch eine große, feldeinwärts sich erstreckende Gärtnerei, deren kleines, dreifenstriges, in einem Vorgärtchen um etwa hundert Schritte zurückgelegenes Wohnhaus, trotz aller Kleinheit und Zurückgezogenheit, von der vorübergehenden Straße her sehr wohl erkannt werden konnte. Was aber sonst noch zu dem Gesamtgewese der Gärtnerei gehörte, ja die recht eigentliche Hauptsache derselben ausmachte, war durch eben dies kleine Wohnhaus wie durch eine Kulisse versteckt, und nur ein rot- und grüngestrichenes Holztürmchen mit einem halb weggebrochenen Zifferblatt unter der Turmspitze (von Uhr selbst keine Rede) ließ vermuten, daß hinter dieser Kulisse noch etwas anderes verborgen sein müsse, welche Vermutung denn auch in einer von Zeit zu Zeit aufsteigenden, das Türmchen umschwärmenden Taubenschar und mehr noch in einem gelegentlichen Hundegeblaff ihre Bestätigung fand. Wo dieser Hund eigentlich steckte, das entzog sich freilich der Wahrnehmung, trotzdem die hart an der linken Ecke gelegene, von früh bis spät aufstehende Haustür einen Blick auf ein Stückchen Hofraum gestattete. Überhaupt schien sich nichts mit Absicht verbergen zu wollen, und doch mußte jeder, der zu Beginn unserer Erzählung des Weges kam, sich an dem Anblick des dreifenstrigen Häuschens und einiger im Vorgarten stehenden Obstbäume genügen lassen.

Es war die Woche nach Pfingsten, die Zeit der langen Tage, deren blendendes Licht mitunter kein Ende nehmen wollte. Heut' aber stand die Sonne schon hinter dem Wilmersdorfer Kirchturm, und statt der Strahlen, die sie den ganzen Tag über herabgeschickt hatte, lagen bereits abendliche Schatten in dem Vorgarten, dessen halbmärchenhafte Stille nur noch von der Stille des von der alten Frau Nimptsch und ihrer Pflegetochter Lene mietweise bewohnten Häuschens übertroffen wurde. Frau Nimptsch selbst aber saß wie gewöhnlich an dem großen, kaum fußhohen Herd ihres die ganze

Hausfront einnehmenden Vorderzimmers und sah, hockend und vorgebeugt, auf einen rußigen alten Teekessel, dessen Deckel, trotzdem der Wrasen auch vorn aus der Tülle quoll, beständig hin und her klapperte. Dabei hielt die Alte beide Hände gegen die Glut und war so versunken in ihre Betrachtungen und Träumereien, daß sie nicht hörte, wie die nach dem Flur hinausführende Tür aufging und eine robuste Frauensperson ziemlich geräuschvoll eintrat. Erst als diese letztere sich geräuspert und ihre Freundin und Nachbarin, eben unsere Frau Nimptsch, mit einer gewissen Herzlichkeit bei Namen genannt hatte, wandte sich diese nach rückwärts und sagte nun auch ihrerseits freundlich und mit einem Anfluge von Schelmerei: »Na, das is recht, liebe Frau Dörr, daß Sie mal wieder rüberkommen. Und noch dazu vons ›Schloß‹. Denn ein Schloß is es und bleibt es. Hat ja nen Turm. Un nu setzen Sie sich... Ihren lieben Mann hab' ich eben weggehen sehen. Und muß auch... is ja heute sein Kegelabend.«

Die so freundlich als Frau Dörr Begrüßte war nicht bloß eine robuste, sondern vor allem auch eine sehr stattlich aussehende Frau, die neben dem Eindruck des Gütigen und Zuverlässigen zugleich den einer besonderen Beschränktheit machte. Die Nimptsch indessen nahm sichtlich keinen Anstoß daran und wiederholte nur: »Ja, sein Kegelabend. Aber, was ich sagen wollte, liebe Frau Dörr, mit Dörren seinen Hut, das geht nicht mehr. Der is ja schon fuchsblank und eigentlich schimpfierlich. Sie müssen ihn ihm wegnehmen und einen andern hinstellen. Vielleicht merkt er es nich... Un nu rücken Sie ran hier, liebe Frau Dörr, oder lieber da drüben auf die Hutsche... Lene, na Sie wissen ja, is ausgeflogen un hat mich mal wieder in Stich gelassen.«

»Er war woll hier?«

»Freilich war er. Und beide sind nu ein bißchen auf Wilmersdorf zu; den Fußweg lang, da kommt keiner. Aber jeden Augenblick können sie wieder hier sein.«

»Na, da will ich doch lieber gehn.«

»O nich doch, liebe Frau Dörr. Er bleibt ja nich. Und wenn er auch bliebe, Sie wissen ja, der is nich so.«

»Weiß, weiß. Und wie steht es denn?«

»Ja, wie soll es stehn? Ich glaube, sie denkt so was, wenn sie's auch nicht wahrhaben will, und bildet sich was ein.«

»O du meine Güte«, sagte Frau Dörr, während sie, statt der ihr angebotenen Fußbank, einen etwas höheren Schemel heranschob. »O du meine Güte, denn is es schlimm. Immer wenn das Einbilden anfängt, fängt auch das Schlimme an. Das is wie Amen in der Kirche.

Sehen Sie, liebe Frau Nimptsch, mit mir war es ja eigentlich ebenso; man bloß nichts von Einbildung. Und bloß darum war es auch wieder ganz anders.«

Frau Nimptsch verstand augenscheinlich nicht recht, was die Dörr meinte, weshalb diese fortfuhr: »Und weil ich mir nie was in'n Kopp setzte, darum ging es immer ganz glatt und gut, und ich habe nu Dörren. Na, viel is es nich, aber es is doch was Anständiges, und man kann sich überall sehen lassen. Und drum bin ich auch in die Kirche mit ihm gefahren und nicht bloß Standesamt. Bei Standesamt reden sie immer noch.« Die Nimptsch nickte.

Frau Dörr aber wiederholte: »Ja, in die Kirche, in die Matthäikirche un bei Büchseln. Aber, was ich eigentlich sagen wollte, sehen Sie, liebe Frau Nimptsch, ich war ja woll eigentlich größer und anziehlicher als die Lene, und wenn ich auch nicht hübscher war (denn so was kann man nie recht wissen, un die Geschmäcker sind so verschieden), so war ich doch so mehr im Vollen, un das mögen manche. Ja, soviel is richtig. Aber wenn ich auch sozusagen fester war un mehr im Gewicht fiel un so was hatte, nu ja, ich hatte so was, so war ich doch immer man ganz einfach un beinah simpel; un was nu er war, mein Graf mit seine fuffzig aufm Puckel, na, der war auch man ganz simpel un bloß immer kreuzfidel un unanständig. Und da reichen ja keine hundert Mal, daß ich ihm gesagt habe: ›Ne, ne, Graf, das geht nicht, so was verbitt ich mir…‹ Und immer die Alten sind so. Und ich sage bloß, liebe Frau Nimptsch, Sie können sich so was gar nicht denken. Gräßlich war es. Und wenn ich mir nu der Lene ihren Baron ansehe, denn schämt es mir immer noch, wenn ich denke, wie meiner war. Und nu gar erst die Lene selber. Jott, ein Engel is sie woll grade auch nich, erst die Lene selber. Jott. Und nu gar erst die Lene selber. Jott, ein Engel is sie woll grade auch nich, aber propper und fleißig un kann alles und is für Ordnung und fürs Reelle. Und sehen Sie, liebe Frau Nimptsch, das is grade das Traurige. Was da so rumfliegt, heute hier un morgen da, na, das kommt nicht um, das fällt wie die Katz immer wieder auf die vier Beine; aber so'n gutes Kind, das alles ernsthaft nimmt und alles aus Liebe tut, ja, das is schlimm… Oder vielleicht is es auch nich so schlimm; Sie haben sie ja bloß angenommen un is nich Ihr eigen Fleisch und Blut, un vielleicht is es eine Prinzessin oder so was.«

Frau Nimptsch schüttelte bei dieser Vermutung den Kopf und schien antworten zu wollen. Aber die Dörr war schon aufgestanden und sagte, während sie den Gartensteig hinuntersah: »Gott, da kommen sie. Und bloß in Zivil un Rock un Hose ganz egal. Aber man sieht es doch! Und nu sagt er ihr was ins Ohr, und sie lacht so vor sich hin. Aber ganz rot is sie geworden... Und nu geht er. Und nu... wahrhaftig, ich glaube, er dreht noch mal um. Nei, nei, er grüßt bloß noch mal, und sie wirft ihm Kußfinger zu... Ja das glaub ich; so was laß ich mir gefallen... Nei, so war meiner nich.«

Frau Dörr sprach noch weiter, bis Lene kam und die beiden Frauen begrüßte.

Zweites Kapitel

Andern Vormittags schien die schon ziemlich hochstehende Sonne auf den Hof der Dörrschen Gärtnerei und beleuchtete hier eine Welt von Baulichkeiten, unter denen auch das »Schloß« war, von dem Frau Nimptsch am Abend vorher mit einem Anfluge von Spott und Schelmerei gesprochen hatte. Ja, dies »Schloß«! In der Dämmerung hätt' es bei seinen großen Umrissen wirklich für etwas Derartiges gelten können, heut' aber, in unerbittlich heller Beleuchtung daliegend, sah man nur zu deutlich, daß der ganze bis hoch hinauf mit gotischen Fenstern bemalte Bau nichts als ein jämmerlicher Holzkasten war, in dessen beide Giebelwände man ein Stück Fachwerk mit Stroh- und Lehmfüllung eingesetzt hatte, welchem vergleichsweise soliden Einsatze zwei Giebelstuben entsprachen. Alles andere war bloße Steindiele, von der aus ein Gewirr von Leitern zunächst auf einen Boden und von diesem höher hinauf in das als Taubenhaus dienende Türmchen führte. Früher, in vordörrscher Zeit, hatte der ganze riesige Holzkasten als bloße Remise zur Aufbewahrung von Bohnenstangen und Gießkannen, vielleicht auch als Kartoffelkeller gedient; seit aber, vor soundsoviel Jahren, die Gärtnerei von ihrem gegenwärtigen Besitzer gekauft worden war, war das eigentliche Wohnhaus an Frau Nimptsch vermietet und der gotisch bemalte Kasten, unter Einfügung der schon erwähnten zwei Giebelstuben, zum Aufenthalt für den damals verwitweten Dörr hergerichtet worden, eine höchst primitive Herrichtung, an der seine bald danach erfolgende Wiederverheiratung nichts geändert hatte. Sommers war diese beinahe fensterlose Remise mit ihren Steinfliesen und ihrer Kühle kein übel Aufenthalt, um die Winterszeit aber hätte Dörr und Frau samt einem aus erster Ehe stammenden zwanzigjährigen, etwas geistesschwachen Sohn einfach erfrieren müssen, wenn nicht die beiden großen, an der anderen Seite des Hofes gelegenen Treibhäuser gewesen wären. In diesen verbrachten alle drei Dörrs die Zeit von November bis März ausschließlich, aber auch in der besseren und sogar in der heißen Jahreszeit spielte sich das Leben der Familie, wenn man nicht gerade vor der Sonne Zuflucht suchte, zu großem Teile vor und in diesen Treibhäusern ab, weil hier alles am bequemsten lag; hier standen die Treppchen und Estraden, auf denen die jeden Morgen aus den Treibhäusern hervorgeholten Blumen ihre frische Luft schöpfen durften; hier war der Stall mit Kuh und Ziege; hier die Hütte mit dem Ziehhund, und von hier aus erstreckte sich auch das wohl fünfzig Schritte lange Doppelmistbeet, mit einem schmalen Gange dazwischen, bis an den großen, weiter zurückgelegenen Gemüsegarten. In diesem sah es nicht sonderlich ordentlich aus, einmal weil Dörr keinen Sinn für Ordnung, außerdem aber eine so große Hühnerpassion hatte, daß er diesen seinen Lieblingen, ohne Rücksicht auf den Schaden, den sie stifteten, überall umherzupicken gestattete. Groß freilich war dieser Schaden nie, da seiner Gärtnerei, die Spargelanlagen abgerechnet, alles Feinere fehlte. Dörr hielt das Gewöhnlichste zugleich für das Vorteilhafteste, zog deshalb Majoran und andere Wurstkräuter, besonders aber Porree, hinsichtlich dessen er der Ansicht lebte daß der richtige Berliner überhaupt nur drei Dinge brauche: eine Weiße, einen Gilka und Porree. »Bei Porree«, schloß er dann regelmäßig, »ist noch keiner zu kurz gekommen.« Er war überhaupt ein Original, von ganz selbständigen Anschauungen und einer entschiedenen Gleichgültigkeit gegen das, was über ihn gesagt wurde. Dem entsprach denn auch seine zweite Heirat, eine Neigungsheirat, bei der die Vorstellung von einer besonderen Schönheit seiner Frau mitgewirkt und ihr früheres Verhältnis zu dem Grafen, statt ihr schädlich zu sein, gerade umgekehrt den Ausschlag zum Guten hin gegeben und einfach den Vollbeweis ihrer Unwiderstehlichkeit erbracht hatte. Wenn sich dabei mit gutem Grunde von Überschätzung sprechen ließ, so doch freilich nicht von seiten Dörrs in Person, für den die Natur, soweit Äußerlichkeiten in Betracht kamen, ganz ungewöhnlich wenig getan hatte. Mager, mittelgroß und mit fünf grauen Haarsträhnen über Kopf und Stirn, wäre er eine Trivialerscheinung gewesen, wenn ihm nicht eine zwischen Augenwinkel und linker Schläfe sitzende braune Pocke was Apartes gegeben hätte. Weshalb denn auch seine Frau nicht mit Unrecht und in der ihr eigenen ungenierten Weise zu sagen pflegte: »Schrumplich is er man, aber von links her hat er so was Borsdorfriges.«

Damit war er gut getroffen und hätte nach diesem Signalement überall erkannt werden müssen, wenn er nicht tagaus, tagein eine mit einem großen Schirm ausgestattete Leinwandmütze getragen hätte, die, tief ins Gesicht gezogen, sowohl das Alltägliche wie das Besondere seiner Physiognomie verbarg.

Und so, die Mütze samt Schirm ins Gesicht gezogen, stand er auch heute wieder, am Tage nach dem zwischen Frau Dörr und Frau Nimptsch geführten Zwiegespräche, vor einer an das vordere Treibhaus sich anlehnenden Blumenestrade, verschiedene Goldlack- und Geraniumtöpfe beiseite schiebend, die morgen mit auf den Wochenmarkt sollten. Es waren sämtlich solche, die nicht im Topf gezogen, sondern nur eingesetzt waren, und mit einer besonderen Genugtuung und Freude ließ er sie vor sich aufmarschieren, schon im voraus über die »Madams« lachend, die morgen kommen, ihre herkömmlichen fünf Pfennig abhandeln und schließlich doch die Betrogenen sein würden. Es zählte das zu seinen größten Vergnügungen und war eigentlich das Hauptgeistesleben, das er führte. »Das bißchen Geschimpfe… Wenn ich's nur mal mit anhören könnte…«

So sprach er noch vor sich hin, als er vom Garten her das Gebell eines kleinen Köters und dazwischen das verzweifelte Krähen eines Hahns hörte, ja, wenn nicht alles täuschte, *seines* Hahns, seines Lieblings mit dem Silbergefieder. Und sein Auge nach dem Garten hin richtend, sah er in der Tat, daß ein Haufen Hühner auseinandergestoben, der Hahn aber auf einen Birnbaum geflogen war, von dem aus er gegen den unten kläffenden Hund unausgesetzt um Hilfe rief.

»Himmeldonnerwetter«, schrie Dörr in Wut, »das is wieder Bollmann seiner… Wieder durch den Zaun… I, da soll doch…« Und den Geraniumtopf, den er eben musterte, rasch aus der Hand setzend, lief er auf die Hundehütte zu, griff nach dem Kettenzwickel und machte den großen Ziehhund los, der nun sofort auch wie ein Rasender auf den Garten zuschoß. Eh dieser jedoch den Birnbaum erreichen konnte, gab »Bollmann seiner« bereits Fersengeld und verschwand unter dem Zaun weg ins Freie – der fuchsgelbe Ziehhund zunächst noch in großen Sätzen nach. Aber das Zaunloch, das für den Affenpinscher gerade ausgereicht hatte, verweigerte ihm den Durchgang und zwang ihn, von seiner Verfolgung Abstand zu nehmen.

Nicht besser erging es Dörr selber, der inzwischen mit einer Harke herangekommen war und mit seinem Hunde Blicke wechselte. »Ja, Sultan, diesmal war es nichts.« Und dabei trottete Sultan wieder auf seine Hütte zu, langsam und verlegen, wie wenn er einen kleinen Vorwurf herausgehört hätte. Dörr selbst aber sah dem draußen in einer Ackerfurche hinjagenden Affenpinscher nach und sagte nach einer Weile: »Hol mich der Deubel, wenn ich mir nich ne

Windbüchse anschaffe, bei Mehles oder sonst wo. Un denn pust' ich das Biest so stille weg, und kräht nich Huhn nich Hahn danach. Nich mal meiner.«

Von dieser ihm von seiten Dörrs zugemuteten Ruhe schien der letztere jedoch vorläufig nichts wissen zu wollen, machte vielmehr von seiner Stimme nach wie vor den ausgiebigsten Gebrauch. Und dabei warf er den Silberhals so stolz, als ob er den Hühnern zeigen wolle, daß seine Flucht in den Birnbaum hinein ein wohlüberlegter Coup oder eine bloße Laune gewesen sei.

Dörr aber sagte: »Jott, so'n Hahn. Denkt nu auch wunder, was er is. Und seine Courage is doch auch man so so.«

Und damit ging er wieder auf seine Blumenestrade zu.

Drittes Kapitel

Der ganze Hergang war auch von Frau Dörr, die gerade beim Spargelstechen war, beobachtet, aber nur wenig beachtet worden, weil sich ähnliches jeden dritten Tag wiederholte. Sie fuhr denn auch in ihrer Arbeit fort und gab das Suchen erst auf, als auch die schärfste Musterung der Beete keine »weißen Köppe« mehr ergeben wollte. Nun erst hing sie den Korb an ihren Arm, legte das Stechmesser hinein und ging langsam und ein paar verirrte Küken vor sich hertreibend, erst auf den Mittelweg des Gartens und dann auf den Hof und die Blumenestrade zu, wo Dörr seine Marktarbeit wieder aufgenommen hatte.

»Na, Suselchen«, empfing er seine bessre Hälfte, »da bist du ja. Hast du woll gesehn? Bollmann seiner war wieder da. Höre, der muß dran glauben, und denn brat' ich ihn aus; ein bißchen Fett wird er woll haben, un Sultan kann denn die Grieben kriegen... Und Hundefett, höre Susel...«, und er wollte sich augenscheinlich in eine seit einiger Zeit von ihm bevorzugte Gichtbehandlungsmethode vertiefen. In diesem Augenblick aber des Spargelkorbes am Arme seiner Frau gewahr werden, unterbrach er sich und sagte: »Na, nu zeige mal her. Hat's denn gefleckt?«

»I nu«, sagte Frau Dörr und hielt ihm den kaum halbgefüllten Korb hin, dessen Inhalt er kopfschüttelnd durch die Finger gleiten ließ. Denn es waren meist dünne Stangen und viel Bruch dazwischen.

»Höre, Susel, es bleibt dabei, du hast keine Spargelaugen.«

»Oh, ich habe schon. Man bloß hexen kann ich nich.«

»Na, wir wollen nich streiten, Susel; mehr wird es doch nich. Aber zum Verhungern is es.«

»I, es denkt nich dran. Laß doch das ewige Gerede, Dörr; sie stekken ja drin, un ob sie nu heute rauskommen oder morgen, is ja ganz egal. Eine düchtige Husche, so wie die vor Pfingsten, und du sollst mal sehen. Und Regen gibt es. Die Wassertonne riecht schon wieder, un die große Kreuzspinn is in die Ecke gekrochen. Aber du willst jeden Dag alles haben; das kannst du nich verlangen.«

Dörr lachte. »Na, binde man alles gut zusammen. Und den kleinen Murks auch. Und du kannst ja denn auch was ablassen.«

»Ach, rede doch nich so«, unterbrach ihn die sich über seinen Geiz beständig ärgernde Frau, zog ihn aber, was er immer als Zärtlichkeit nahm, auch heute wieder am Ohrzipfel und ging auf das »Schloß« zu, wo sie sich's auf dem Steinfliesenflur bequem machen und die Spargelbündel binden wollte. Kaum aber, daß sie den hier immer bereitstehenden Schemel bis an die Schwelle vorgerückt hatte, so hörte sie, wie schräg gegenüber in dem von der Frau Nimptsch bewohnten dreifenstrigen Häuschen ein Hinterfenster mit einem kräftigen Ruck aufgestoßen und gleich darauf eingehakt wurde. Zugleich sah sie Lene, die, mit einer weiten, lilagemusterten Jacke über dem Friesrock und einem Häubchen auf dem aschblonden Haar freundlich zu ihr hinübergrüßte.

Frau Dörr erwiderte den Gruß mit gleicher Freundlichkeit und sagte dann: »Immer Fenster auf; das ist recht, Lenchen. Und fängt auch schon an, heiß zu werden. Es gibt heute noch was.«

»Ja. Und Mutter hat von der Hitze schon ihr Kopfweh, und da will ich doch lieber in der Hinterstube plätten. Is auch hübscher hier; vorne sieht man ja keinen Menschen.«

»Hast recht«, antwortete die Dörr. »Na, da werd ich man ein bißchen ans Fenster rücken. Wenn man so spricht, geht einen alles besser von der Hand.«

»Ach, das is lieb und gut von Ihnen, Frau Dörr. Aber hier am Fenster is ja grade die pralle Sonne.«

»Schad't nichts, Lene. Da bring ich meinen Marchtschirm mit, altes Ding und lauter Flicken. Aber tut immer noch seine Schuldigkeit.«

Und ehe fünf Minuten um waren, hatte die gute Frau Dörr ihren Schemel bis an das Fenster geschleppt und saß nun unter ihrer Schirmstellage so behaglich und selbstbewußt, als ob es auf dem Gendarmenmarkt gewesen wäre. Drinnen aber hatte Lene das Plättbrett auf zwei dicht ans Fenster gerückte Stühle gelegt und stand nun so nahe, daß man sich mit Leichtigkeit die Hand reichen konnte. Dabei ging das Plätteisen emsig hin und her. Und auch Frau Dörr war fleißig beim Aussuchen und Zusammenbinden, und wenn sie dann und wann von ihrer Arbeit aus ins Fenster hinein sah, sah sie, wie nach hinten zu der kleine Plättofen glühte, der für neue heiße Bolzen zu sorgen hatte.

»Du könntest mir mal 'nen Teller geben, Lene, Teller oder Schüssel.« Und als Lene gleich danach brachte, was Frau Dörr gewünscht hatte, tat diese den Bruchspargel hinein, den sie während des Sortierens in ihrer Schürze behalten hatte. »Da, Lene, das gibt 'ne Spargelsuppe. Un is so gut wie das andre. Denn daß es immer die Köppe sein müssen, is ja dummes Zeug. Ebenso wie mit 'n Blumenkohl; immer Blume, Blume, die reine Einbildung. Der Strunk ist eigentlich das beste, da sitzt die Kraft drin. Und die Kraft is immer die Hauptsache.«

»Gott, Sie sind immer so gut, Frau Dörr. Aber was wird nur Ihr Alter sagen?«

»Der? Ach, Leneken, was *der* sagt, is ganz egal. Der red't doch. Er will immer, daß ich den Murks mit einbinde, wie wenn's richtige Stangen wären; aber solche Bedrügerei mag ich nich, auch wenn Bruch- und Stückenzeug geradeso gut schmeckt wie's ganze. Was einer bezahlt, das muß er haben, un ich ärgre mir bloß, daß so'n Mensch, dem es so zuwächst, so'n alter Geizkragen is. Aber so sind die Gärtners alle, rapschen und rapschen un können nie genug kriegen.«

»Ja«, lachte Lene, »geizig is er und ein bißchen wunderlich. Aber eigentlich doch ein guter Mann.«

»Ja, Leneken, er wäre soweit ganz gut, un auch die Geizerei wäre nich so schlimm un is immer noch besser als die Verbringerei, wenn er man nich so zärtlich wäre. Du glaubst es nich, immer is er da. Un nu sieh ihn dir an. Es is doch eigentlich man ein Jammer mit ihm, un dabei richtige Sechsundfünfzig, und vielleicht is es noch ein Jahr mehr. Denn lügen tut er auch, wenn's ihm gerade paßt. Un da hilft auch nichts, gar nichts. Ich erzähl ihm immer von Schlag und Schlag und zeig ihm welche, die so humpeln und einen schiefen Mund haben, aber er lacht bloß immer und glaubt es nich. Es kommt aber doch so. Ja, Leneken, ich glaub es ganz gewiß, daß es so kommt. Und vielleicht balde. Na, verschrieben hat er mir alles, un so sag ich weiter nichts. Wie einer sich legt, so liegt er. Aber was reden wir von Schlag und Dörr, un daß er bloß O-Beine hat. Jott, mein Lenechen, da gibt es ganz andre Leute, die sind so grade gewachsen wie 'ne Tanne. Nicht wahr, Lene?«

Lene wurde hierbei noch röter, als sie schon war, und sagte: »Der Bolzen ist kalt geworden.« Und vom Plättbrett zurücktretend, ging sie bis an den eisernen Ofen und schüttete den Bolzen in die Kohlen zurück, um einen neuen herauszunehmen. Alles war das Werk eines Augenblicks. Und nun ließ sie mit einem geschickten Ruck den neuen glühenden Bolzen vom Feuerhaken in das Plätteisen niedergleiten, klappte das Türchen wieder ein und sah nun erst, daß Frau Dörr noch immer auf Antwort wartete. Sicherheitshalber aber stellte die gute Frau die Frage noch mal und setzte gleich hinzu: »Kommt er denn heute?«

»Ja. Wenigstens hat er es versprochen.«

»Nu sage mal, Lene«, fuhr Frau Dörr fort, »wie kam es denn eigentlich? Mutter Nimptsch sagt nie was, un wenn sie was sagt, denn is es auch man immer so so, nich hü un nich hott. Und immer bloß halb un so konfuse. Nu sage du mal. Is es denn wahr, daß es in Stralau war?«

»Ja, Frau Dörr, in Stralau war es, den zweiten Ostertag, aber schon so warm, als ob Pfingsten wär, und weil Lina Gansauge gern Kahn fahren wollte, nahmen wir einen Kahn, und Rudolf, den Sie ja wohl kennen, und der ein Bruder von Lina ist, setzte sich ans Steuer.«

»Jott, Rudolf. Rudolf is ja noch ein Junge.«

»Freilich. Aber er meinte, daß er's verstünde, und sagte bloß immer: ›Mächens, ihr müßt stillsitzen; ihr schunkelt so‹, denn er spricht so furchtbar berlinsch. Aber wir dachten gar nicht dran, weil wir gleich sahen, daß es mit seiner ganzen Steuerei nicht weit her sei. Zuletzt aber vergaßen wir's wieder und ließen uns treiben und neckten uns mit denen, die vorbeikamen und uns mit Wasser bespritzten. Und in dem einen Boote, das mit unsrem dieselbe Richtung hatte, saßen ein paar sehr feine Herren, die beständig grüßten, und in unsrem Übermut grüßten wir wieder, und Lina wehte sogar mit dem Taschentuch und tat, als ob sie die Herren kenne, was aber gar nicht der Fall war, und wollte sich bloß zeigen, weil sie noch so sehr jung ist. Und während wir noch so lachten und scherzten und mit dem Ruder bloß so spielten, sahen wir mit einem Male, daß von Treptow her das Dampfschiff auf uns zukam, und wie Sie sich denken können, liebe Frau Dörr, waren wir auf den Tod erschrocken und riefen in unserer Angst Rudolfen zu, daß er uns heraussteuern solle. Der Junge war aber aus Rand und Band und steuerte bloß so, daß wir uns beständig im Kreise drehten. Und nun schrien wir und wären sicherlich überfahren worden, wenn nicht in eben diesem Augenblicke das andre Boot mit den zwei Herren sich unserer Not erbarmt hätte. Mit ein paar Schlägen war es neben uns, und während der eine mit einem Bootshaken uns fest und scharf heranzog und an das eigne Boot ankoppelte, ruderte der andere sich und uns aus dem Strudel heraus, und nur einmal war es noch, als ob die große, vom Dampfschiff her auf uns zukommende Welle uns umwerfen wolle. Der Kapitän drohte denn auch wirklich mit dem Finger (ich sah es inmitten all meiner Angst); aber auch das ging vorüber, und eine Minute später waren wir bis an Stralau heran, und die beiden Herren, denen wir unsre Rettung verdankten, sprangen ans Ufer und reichten uns die Hand und waren uns als richtige Kavaliere beim Aussteigen behilflich. Und da standen wir denn nun auf der Landungsbrücke bei Tübbeckes und waren sehr verlegen, und Lina weinte jämmerlich vor sich hin, und bloß Rudolf, der überhaupt ein störrischer und großmäuliger Bengel is und immer gegen's Militär, bloß Rudolf sah ganz bockig vor sich hin, als ob er sagen wollte: ›Dummes Zeug, ich hätt euch auch rausgesteuert.‹«

»Ja, so is er, ein großmäuliger Bengel; ich kenn ihn. Aber nu die beiden Herren. Das ist doch die Hauptsache...«

»Nun, die bemühten sich erst noch um uns und blieben dann an dem andren Tisch und sahen immer zu uns rüber. Und als wir so gegen sieben, und es schummerte schon, nach Hause wollten, kam der eine und fragte, ob er und sein Kamerad uns ihre Begleitung anbieten dürften? Und da lacht' ich übermütig und sagte, sie hätten uns ja gerettet, und einem Retter dürfe man nichts abschlagen. Übrigens sollten sie sich's noch mal überlegen, denn wir wohnten so gut wie am andern Ende der Welt. Und sei eigentlich eine Reise. Worauf er verbindlich antwortete: ›Desto besser.‹ Und mittlerweile war auch der andre herangekommen... Ach, liebe Frau Dörr, es mag wohl nicht recht gewesen sein, gleich so freiweg zu sprechen; aber der eine gefiel mir, und sich zieren und zimperlich tun, das hab' ich nie gekonnt. Und so gingen wir denn den weiten Weg, erst an der Spree und dann an dem Kanal hin.«

»Und Rudolf?«

»Der ging hinterher, als ob er gar nicht zugehöre, sah aber alles und paßte gut auf. Was auch recht war; denn die Lina is ja erst achtzehn, un noch ein gutes, unschuldiges Kind!«

»Meinst du?«

»Gewiß, Frau Dörr. Sie brauchen sie ja bloß anzusehen. So was sieht man gleich.«

»Ja, mehrstens. Aber mitunter auch nich. Und da haben sie euch denn nach Hause gebracht?«

»Ja, Frau Dörr.«

»Und nachher?«

»Ja nachher. Nun, Sie wissen ja, wie's nachher kam. Er kam dann den andern Tag und fragte nach. Und seitdem ist er oft gekommen, und ich freue mich immer, wenn er kommt. Gott, man freut sich doch, wenn man mal was erlebt. Es ist oft so einsam hier draußen. Und Sie wissen ja, Frau Dörr, Mutter hat nichts dagegen und sagt immer: ›Kind, es schad't nichts. Eh man sich's versieht, is man alt.‹«

»Ja, ja«, sagte die Dörr, »so was hab ich die Nimptschen auch schon sagen hören. Und hat auch ganz recht. Das heißt, wie man's nehmen will, und nach'm Katechismus is doch eigentlich immer noch besser und sozusagen überhaupt das beste. Das kannst du mir schon glauben. Aber ich weiß woll, es geht nich immer, und mancher will auch nich immer, und mancher will auch nich. Und wenn einer nich will, na, denn will er nich, un denn muß es auch so gehn und geht auch mehrstens, man bloß, daß man ehrlich is un anständig und Wort hält. Un natürlich, was denn kommt, das muß man aushalten und darf sich nicht wundern. Un wenn man all so was weiß und sich immer wieder zu Gemüte führt, na, denn is es nich so schlimm. Un schlimm is eigentlich man bloß das Einbilden.«

»Ach, liebe Frau Dörr«, lachte Lene, »was Sie nur denken. Einbilden! Ich bilde mir gar nichts ein. Wenn ich einen liebe, dann lieb' ich ihn. Und das is mir genug. Und will weiter gar nichts von ihm, nichts, gar nichts; und daß mir mein Herze so schlägt und ich die Stunden zähle, bis er kommt, und nicht abwarten kann, bis er wieder da ist, das macht mich glücklich, das ist mir genug.«

»Ja«, schmunzelte die Dörr vor sich hin, »das is das richtige, so muß es sein. Aber is es denn wahr, Lene, daß er Botho heißt? So kann doch einer eigentlich nicht heißen; das is ja gar kein christlicher Name.«

»Doch, Frau Dörr.« Und Lene machte Miene, die Tatsache, daß es solchen Namen gäbe, des weiteren zu bestätigen. Aber ehe sie dazu kommen konnte, schlug Sultan an, und im selben Augenblicke hörte man deutlich vom Hausflur her, daß wer eingetreten sei. Wirklich erschien auch der Briefträger und brachte zwei Bestellkarten für Dörr und einen Brief für Lene.

»Gott, Hahnke«, rief die Dörr dem in großen Schweißperlen vor ihr Stehenden zu, »Sie drippen ja man so. Is es denn so 'ne schwebende Hitze? Un erst halb zehn. Na, so viel seh ich woll, Briefträger is auch kein Vergnügen.«

Und die gute Frau wollte gehn, um ein Glas frische Milch zu holen. Aber Hahnke dankte. »Habe keine Zeit, Frau Dörr. Ein andermal.« Und damit ging er.

Lene hatte mittlerweile den Brief erbrochen.

»Na, was schreibt er?«

»Er kommt heute nicht, aber morgen. Ach, es ist so lange bis morgen. Ein Glück, daß ich Arbeit habe; je mehr Arbeit, desto besser. Und ich werde heut' nachmittag in Ihren Garten kommen und graben helfen. – Aber Dörr darf nicht dabei sein.« –

»I, Gott bewahre.«

Und danach trennte man sich, und Lene ging in das Vorderzimmer, um der Alten das von der Frau Dörr erhaltene Spargelgericht zu bringen.

Viertes Kapitel

Und nun war der andere Abend da, zu dem Baron Botho sich angemeldet hatte. Lene ging im Vorgarten auf und ab; drinnen aber, in der großen Vorderstube, saß wie gewöhnlich Frau Nimptsch am Herd, um den herum sich auch heute wieder die vollzählig erschienene Familie Dörr gruppiert hatte. Frau Dörr strickte mit großen Holznadeln an einer blauen, für ihren Mann bestimmten Wolljacke, die, vorläufig noch ohne rechte Form, nach Art eines großen Vlieses auf ihrem Schoße lag. Neben ihr, die Beine bequem übereinandergeschlagen, rauchte Dörr aus einer Tonpfeife, während der Sohn in einem dicht am Fenster stehenden Großvaterstuhl saß und seinen Rotkopf an die Stuhlwange lehnte. Jeden Morgen bei Hahnenschrei aus dem Bett, war er auch heute wieder vor Müdigkeit eingeschlafen. Gesprochen wurde wenig, und so hörte man denn nichts als das Klappern der Holznadeln und das Knabbern des Eichhörnchens, das mitunter aus seinem Schilderhäuschen herauskam und sich neugierig umsah. Nur das Herdfeuer und der Widerschein des Abendrots gaben etwas Licht.

Frau Dörr saß so, daß sie den Gartensteg hinaufsehen und trotz der Dämmerung erkennen konnte, wer draußen, am Heckenzaun entlang, des Weges kam.

»Ah, da kommt er«, sagte sie. »Nu, Dörr, laß mal deine Pfeife ausgehen. Du bist heute wieder wie'n Schornstein un rauchst und schmookst den ganzen Tag. Un son'n Knallerballer wie deiner, der is nich für jeden.«

Dörr ließ sich solche Rede wenig anfechten, und ehe seine Frau mehr sagen oder ihre Wahrsprüche wiederholen konnte, trat der Baron ein. Er war sichtlich angeheitert, kam er doch von einer Maibowle, die Gegenstand einer Klubwette gewesen war, und sagte, während er Frau Nimptsch die Hand reichte: »Guten Tag, Mutterchen. Hoffentlich gut bei Weg. Ah, und Frau Dörr; und Herr Dörr, mein alter Freund und Gönner. Hören Sie, Dörr, was sagen Sie zu dem Wetter? Eigens für Sie bestellt und für mich mit. Meine Wiesen zu Hause, die vier Jahre von fünf immer unter Wasser stehen und nichts bringen als Ranunkeln, die können solch Wetter brauchen. Und Lene kann's auch brauchen, daß sie mehr draußen ist; sie wird mir sonst zu blaß.«

Lene hatte derweilen einen Holzstuhl neben die Alte gerückt, weil sie wußte, daß Baron Botho hier am liebsten saß; Frau Dörr aber, in der eine starke Vorstellung davon lebte, daß ein Baron auf einem Ehrenplatz sitzen müsse, war inzwischen aufgestanden und rief, immer das blaue Vlies nachschleppend, ihrem Pflegesohn zu: »Will er woll auf! Ne, ich sage. Wo's nich drin steckt, da kommte es auch nich.« Der arme Junge fuhr blöd und verschlafen in die Höh' und wollte den Platz räumen, der Baron litt es aber nicht. »Ums Himmels willen, liebe Frau Dörr, lassen Sie doch den Jungen. Ich sitz' am liebsten auf einem Schemel wie mein Freund Dörr hier.«

Und damit schob er den Holzstuhl, den Lene noch immer in Bereitschaft hatte, neben die Alte und sagte, während er sich setzte: »Hier neben Frau Nimptsch, das ist der beste Platz. Ich kenne keinen Herd, auf den ich so gern sähe; immer Feuer, immer Wärme. Ja, Mutterchen, es ist so; hier ist es am besten.«

»Ach, du mein Gott«, sagte die Alte. »Hier am besten! Hier bei 'ner alten Wasch- und Plättfrau.«

»Freilich. Und warum nicht? Jeder Stand hat seine Ehre. Waschfrau auch. Wissen Sie denn, Mutterchen, daß es hier in Berlin einen berühmten Dichter gegeben hat, der ein Gedicht auf seine alte Waschfrau gemacht hat?«

»Is es möglich?«

»Freilich ist es möglich. Es ist sogar gewiß. Und wissen Sie, was er zum Schluß gesagt hat? Da hat er gesagt, er möchte so leben und sterben wie die alte Waschfrau. Ja, das hat er gesagt.«

»Is es möglich?« simperte die Alte noch einmal vor sich hin.

»Und wissen Sie, Mutterchen, um auch das nicht zu vergessen, daß er ganz recht gehabt hat, und daß ich ganz dasselbe sage? Ja, Sie lachen so vor sich hin. Aber sehen Sie sich mal um hier, wie leben Sie? Wie Gott in Frankreich. Erst haben Sie das Haus und diesen Herd und dann den Garten und dann Frau Dörr. Und dann haben Sie die Lene. Nicht wahr? Aber wo steckt sie nur?«

Er wollte noch weiter sprechen, aber im selben Augenblicke kam Lene mit einem Kaffeebrett zurück, auf dem eine Karaffe mit Wasser samt Apfelwein stand, Apfelwein, für den der Baron, weil er ihm wunderbare Heilkraft zuschrieb, eine sonst schwer begreifliche Vorliebe hatte.

»Ach, Lene, wie du mich verwöhnst. Aber du darfst es mir nicht so feierlich präsentieren, das ist ja, wie wenn ich im Klub wäre. Du mußt es mir aus der Hand bringen, da schmeckt es am besten. Und nun gib mir deine Patsche, daß ich sie streicheln kann. Nein, nein, die Linke, die kommt von Herzen. Und nun setze dich da hin, zwischen Herrn und Frau Dörr, dann hab ich dich gegenüber und kann dich immer ansehn. Ich habe mich den ganzen Tag auf diese Stunde gefreut.«

Lene lachte.

»Du glaubst es wohl nicht? Ich kann es dir aber beweisen, Lene; denn ich habe dir von der großen Herren- und Damenfête, die wir gestern hatten, was mitgebracht. Und wenn man was zum Mitbringen hat, dann freut man sich auch auf die, die's kriegen sollen. Nicht wahr, lieber Dörr?«

Dörr schmunzelte, Frau Dörr aber sagte: »Jott, der. Der un mitbringen. Dörr is bloß für rapschen und sparen. So sind die Gärtners. Aber neugierig bin ich doch, was der Herr Baron mitgebracht haben.«

»Nun, da will ich nicht lange warten lassen, sonst denkt meine liebe Frau Dörr am Ende, daß es ein goldener Pantoffel ist oder sonst was aus dem Märchen. Es ist aber bloß das.«

Und dabei gab er Lenen eine Tüte, daraus, wenn nicht alles täuschte, das gefranste Papier einiger Knallbonbons hervorguckte.

Wirklich, es waren Knallbonbons, und die Tüte ging reihum.

»Aber nun müssen wir auch ziehen, Lene; halt fest und Augen zu.«

Frau Dörr war entzückt, als es einen Knall gab, und noch mehr, als Lenes Zeigefinger blutete. »Das tut nich weh, Lene, das kenn ich; das is, wie wenn sich 'ne Braut in'n Finger sticht. Ich kannte mal eine, die war so versessen drauf, die stach sich immerzu un lutschte und lutschte, wie wenn es wunder was wäre.«

Lene wurde rot. Aber Frau Dörr sah es nicht und fuhr fort: »Und nu den Vers lesen, Herr Baron.«

Und dieser las denn auch:

> In Liebe selbstvergessen sein
> Freut Gott und die lieben Engelein.

»Jott«, sagte Frau Dörr und faltete die Hände. »Das is ja wie aus'n Gesangbuch. Is es denn immer so fromm?«

»I bewahre«, sagte Botho, »nicht immer. Kommen Sie, liebe Frau Dörr, wir wollen auch mal ziehen und sehn, was dabei herauskommt.« Und nun zog er wieder und las:

> Wo Amors Pfeil recht tief getroffen,
> Da stehen Himmel und Hölle offen.

»Nun, Frau Dörr, was sagen Sie dazu? Das klingt schon anders; nicht wahr?«

»Ja«, sagte Frau Dörr, »anders klingt es. Aber es gefällt mir nicht recht... Wenn ich einen Knallbonbon ziehe...«

»Nun?«

»Da darf nichts von Hölle vorkommen; da will ich nich hören, daß es so was gibt.«

»Ich auch nicht«, lachte Lene. »Frau Dörr hat ganz recht; sie hat überhaupt immer recht. Aber das ist wahr, wenn man solchen Vers liest, da hat man immer gleich was zum Anfangen, ich meine zum Anfangen mit der Unterhaltung; denn anfangen is immer das schwerste, gerade wie beim Briefschreiben, und ich kann mir eigentlich keine Vorstellung machen, wie man mit so viel fremden Damen (und ihr kennt euch doch nicht alle) sogleich mir nichts, dir nichts ein Gespräch anfangen kann.«

»Ach, meine liebe Lene«, sagte Botho, »das ist nicht so schwer, wie du denkst. Es ist sogar ganz leicht. Und wenn du willst, will ich dir gleich eine Tischunterhaltung vormachen.«

Frau Dörr und Frau Nimptsch drückten ihre Freude darüber aus, und auch Lene nickte zustimmend.

»Nun«, fuhr Baron Botho fort, »denke dir also, du wärst eine kleine Gräfin. Und eben hab' ich dich zu Tische geführt und Platz genommen, und nun sind wir beim ersten Löffel Suppe.«

»Gut. Gut. Aber nun?«

»Und nun sag' ich: Irr' ich nicht, meine gnädigste Komtesse, so sah ich Sie gestern in der Flora, Sie und Ihre Frau Mama. Nicht zu verwundern. Das Wetter lockt ja jetzt täglich heraus, und man könnte schon von Reisewetter sprechen. Haben Sie Pläne, Sommerpläne, meine gnädigste Gräfin? Und nun antwortest du, daß leider noch nichts feststünde, weil der Papa durchaus nach dem Bayerischen wolle, daß aber die Sächsische Schweiz mit dem Königstein und der Bastei dein Herzenswunsch wäre.«

»Das ist es auch wirklich«, lachte Lene.

»Nun sieh, das trifft sich gut. Und so fahr ich denn fort: Ja, gnädigste Komtesse, da begegnen sich unsere Geschmacksrichtungen. Ich ziehe die Sächsische Schweiz ebenfalls jedem anderen Teile der Welt vor, namentlich auch der eigentlichen Schweiz. Man kann nicht immer große Natur schwelgen, nicht immer klettern und außer Atem sein. Aber Sächsische Schweiz! Himmlisch, ideal! Da hab' ich Dresden; in einer Viertel- oder halben Stunde bin ich da, da seh ich Bilder, Theater, Großen Garten, Zwinger, Grünes Gewölbe. Versäumen Sie nicht, sich die Kanne mit den törichten Jungfrauen zeigen zu lassen, und vor allem den Kirschkern, auf dem das ganze Vaterunser steht. Alles bloß durch die Lupe zu sehen.«

»Und so sprecht ihr!«

»Ganz so, mein Schatz. Und wenn ich mit meiner Nachbarin zur Linken, also mit Komtesse Lene, fertig bin, so wend' ich mich zu meiner Nachbarin zur Rechten, also zu Frau Baronin Dörr...«

Die Dörr schlug vor Entzücken mit der Hand aufs Knie, daß es einen lauten Puff gab...

»Zu Frau Baronin Dörr also. Und spreche nun worüber? Nun, sagen wir über Morcheln.«

»Aber mein Gott, Morcheln. Über Morcheln, Herr Baron, das geht doch nicht.«

»Oh, warum nicht, warum soll es nicht gehen, liebe Frau Dörr? Das ist ein sehr ernstes und lehrreiches Gespräch und hat für manche mehr Bedeutung als Sie glauben. Ich besuchte mal einen Freund in Polen, Regiments- und Kriegskameraden, der ein großes Schloß bewohnte, rot und mit zwei dicken Türmen, und so furchtbar alt, wie's eigentlich gar nicht mehr vorkommt. Und das letzte Zimmer war sein Wohnzimmer; denn er war unverheiratet, weil er ein Weiberfeind war...«

»Ist es möglich?«

»Und überall waren morsche, durchgetretene Dielen, und immer, wo ein paar Dielen fehlten, da war ein Morchelbeet, und an all den Morchelbeeten ging ich vorbei, bis ich zuletzt in sein Zimmer kam.«

»Ist es möglich?« wiederholte die Dörr und setzte hinzu: »Morcheln. Aber man kann doch nicht immer von Morcheln sprechen.«

»Nein, nicht immer. Aber oft oder wenigstens manchmal, und eigentlich ist es ganz gleich, wovon man spricht. Wenn es nicht Morcheln sind, sind es Champignons, und wenn es nicht das rote polnische Schloß ist, dann ist es Schlößchen Tegel oder Saatwinkel oder Valentinswerder. Oder Italien oder Paris, oder die Stadtbahn, oder ob die Panke zugeschüttet werden soll. Es ist alles ganz gleich. Über jedes kann man ja was sagen, und ob's einem gefällt oder nicht. Und ›ja‹ ist gerade so viel wie ›nein‹.«

»Aber« sagte Lene, »wenn es alles so redensartlich ist, da wundert es mich, daß ihr solche Gesellschaften mitmacht.«

»Oh, man sieht doch schöne Damen und Toiletten und mitunter auch Blicke, die, wenn man gut aufpaßt, einem eine ganze Geschichte verraten. Und jedenfalls dauert es nicht lange, so daß man immer noch Zeit hat, im Klub alles nachzuholen. Und im Klub ist es wirklich reizend, da hören die Redensarten auf, und die Wirklichkeiten fangen an. Ich habe gestern Pitt seine Graditzer Rappstute abgenommen.«

»Wer ist Pitt?«

»Ach, das sind so Namen, die wir nebenher führen, und wir nennen uns so, wenn wir unter uns sind. Der Kronprinz sagt auch Vicky, wenn er Viktoria meint. Es ist ein wahres Glück, daß es solche Liebes- und Zärtlichkeitsnamen gibt. Aber horch, eben fängt drüben das Konzert an. Können wir nicht die Fenster aufmachen, daß wir's besser hören? Du wippst ja schon mit der Fußspitze hin und her. Wie wär es, wenn wir anträten und einen Contre versuchten oder eine Française? Wir sind drei Paare: Vater Dörr und meine gute Frau Nimptsch und dann Frau Dörr und ich (ich bitte um die Ehre), und dann kommt Lene mit Hans.«

Frau Dörr war sofort einverstanden, Dörr und Frau Nimptsch aber lehnten ab, diese, weil sie zu alt sei, jener, weil er so was Feines nicht kenne.

»Gut, Vater Dörr. Aber dann müssen Sie den Takt schlagen; Lene, gib ihm das Kaffeebrett und einen Löffel. Und nun antreten, meine Damen. Frau Dörr, Ihren Arm. Und nun, Hans, aufwachen, flink, flink.«

Und wirklich, beide Paare stellten sich auf, und Frau Dörr wuchs ordentlich noch an Stattlichkeit, als ihr Partner in einem feierlichen Tanzmeister-Französisch anhob: »En avant deux, Pas de basque.« Der sommersprossige, leider noch immer verschlafene Gärtnerjunge sah sich maschinenmäßig und ganz nach Art einer Puppe hin und her geschoben, die drei anderen aber tanzten wie Leute, die's verstehen, und entzückten den alten Dörr derart, daß er sich von seinem Schemel erhob und, statt mit dem Löffel, mit seinem Knöchel an das Kaffeebrett schlug. Auch der alten Frau Nimptsch kam die Lust früherer Tage wieder, und weil sie nichts Besseres tun konnte, wühlte sie mit dem Feuerhaken so lange in der Kohlenglut umher, bis die Flamme hoch aufschlug.

So ging es, bis die Musik drüben schwieg; Botho führte Frau Dörr wieder an ihren Platz, und nur Lene stand noch da, weil der ungeschickte Gärtnerjunge nicht wußte, was er mit ihr machen sollte. Das aber paßte Botho gerade, der, als die Musik drüben wieder anhob, mit Lene zu walzen und ihr zuzuflüstern begann, wie reizend sie sei, reizender denn je.

Sie waren alle warm geworden, am meisten die gerade jetzt am offenen Fenster stehende Frau Dörr, »Jott, mir schuddert so«, sagte sie mit einem Male, weshalb Botho verbindlich aufsprang, um die Fenster zu schließen. Aber Frau Dörr wollte davon nichts wissen und behauptete: »Was die feinen Leute wären, die wären alle für frische Luft, und manche wären fürs Frische, daß ihnen im Winter das Deckbett an den Mund fröre. Denn Atem wäre dasselbe wie Wrasen, gerade wie der, der aus der Tülle käm. Also die Fenster müßten aufbleiben, davon ließe sie nicht. Aber wenn Lenechen so fürs Innerliche was hätte, so was für Herz und Seele...«

»Gewiß, liebe Frau Dörr; alles, was Sie wollen. Ich kann einen Tee machen oder einen Punsch, oder noch besser, ich habe ja noch das Kirschwasser, das Sie Mutter Nimptschen und mir letzten Weihnachten zu der großen Mandelstolle geschenkt haben...« Und ehe sich Frau Dörr zwischen Punsch und Tee entscheiden konnte, war auch die Kirschwasserflasche schon da mit Gläsern, großen und kleinen, in die sich nun jeder nach Gutdünken hineintat. Und nun ging Lene, den rußigen Herdkessel in der Hand, reihum und goß das kochsprudelnde Wasser ein. »Nicht zuviel, Leneken, nicht zuviel. Immer aufs ganze. Wasser nimmt die Kraft.« Und im Nu füllte sich der Raum mit dem aufsteigenden Kirschmandelaroma.

»Ah, das hast du gut gemacht«, sagte Botho, während er aus dem Glase nippte. »Weiß es Gott, ich habe gestern nichts gehabt und heute im Klub erst recht nicht, was mir so geschmeckt hätte. Hoch, Lene! Das eigentliche Verdienst in der Sache hat aber doch unsere Freundin, Frau Dörr, ›weil's ihr so geschuddert hat‹, und so bring ich denn gleich noch eine zweite Gesundheit aus: Frau Dörr, sie lebe hoch!«

»Sie lebe hoch!« riefen alle durcheinander, und der alte Dörr schlug wieder mit seinem Knöchel ans Brett.

Alle fanden, daß es ein feines Getränk sei, viel feiner als Punschextrakt, der im Sommer immer nach bitterer Zitrone schmecke, weil es meistens alte Flaschen seien, die schon von Fastnacht an im Ladenfenster in der grellen Sonne gestanden hätten. Kirschwasser aber, das sei was Gesundes und nie verdorben, und ehe man sich mit dem Bittermandelgift vergifte, da müßte man doch schon was Ordentliches einnehmen, wenigstens eine Flasche.

Diese Bemerkung machte Frau Dörr, und der Alte, der es nicht darauf ankommen lassen wollte, vielleicht weil er diese hervorragendste Passion seiner Frau kannte, drang auf Aufbruch: Morgen sei auch noch ein Tag.

Botho und Lene redeten zu, doch noch zu bleiben. Aber die gute Frau Dörr, die wohl wußte, »daß man zuzeiten nachgeben müsse, wenn man die Herrschaft behalten wolle«, sagte nur: »Laß, Leneken, ich kenn' ihn; er geht nu mal mit die Hühner zu Bett.« »Nun«, sagte Botho, »wenn es beschlossen ist, ist es beschlossen. Aber dann begleiten wir die Familie Dörr bis an ihr Haus.«

Und damit brachen alle auf und ließen nur die alte Frau Nimptsch zurück, die den Abgehenden freundlich und kopfnickend nachsah und dann aufstand und sich in den Großvaterstuhl setzte.

Fünftes Kapitel

Vor dem »Schloß« mit dem grün- und rotgestrichenen Turme machten Botho und Lene halt und baten Dörr in aller Förmlichkeit um Erlaubnis, noch in den Garten gehen und eine halbe Stunde darin promenieren zu dürfen. Der Abend sei so schön. Vater Dörr brummelte, daß er sein Eigentum in keinem beßren Schutz lassen könne, worauf das junge Paar unter artigen Verbeugungen Abschied nahm und auf den Garten zuschritt. Alles war schon zur Ruh, und nur Sultan, an dem sie vorbei mußten, richtete sich hoch auf und winselte so lange, bis ihn Lene gestreichelt hatte. Dann erst kroch er wieder in seine Hütte zurück.

Drinnen im Garten war alles Duft und Frische; denn den ganzen Hauptweg hinauf, zwischen den Johannis- und Stachelbeersträuchern, standen Levkoien und Reseda, deren feiner Duft sich mit dem kräftigeren der Thymianbeete mischte. Nichts regte sich in den Bäumen, und nur Leuchtkäfer schwirrten durch die Luft.

Lene hatte sich in Bothos Arm gehängt und schritt mit ihm auf das Ende des Gartens zu, wo zwischen zwei Silberpappeln eine Bank stand.

»Wollen wir uns setzen?«

»Nein«, sagte Lene, »nicht jetzt«, und bog in einen Seitenweg ein, dessen hochstehende Himbeerbüsche fast über den Gartenzaun hinauswuchsen. »Ich gehe so gern an deinem Arm. Erzähle mir etwas. Aber etwas recht Hübsches. Oder frage.«

»Gut. Ist es dir recht, wenn ich mit den Dörrs anfange?«

»Meinetwegen.«

»Ein sonderbares Paar. Und dabei, glaub' ich, glücklich. Er muß tun, was sie will, und ist doch um vieles klüger.«

»Ja«, sagte Lene, »klüger ist er, aber auch geizig und hartherzig, und das macht ihn gefügig, weil er beständig ein schlechtes Gewissen hat. Sie sieht ihm scharf auf die Finger und leidet es nicht, wenn er jemand übervorteilen will. Und das ist es, wovor er Furcht hat und was ihn nachgiebig macht.«

»Und weiter nichts?«

»Vielleicht auch noch Liebe, so sonderbar es klingt. Das heißt Liebe von seiner Seite. Denn trotz seiner Sechsundfünfzig oder mehr ist er noch wie vernarrt in seine Frau, und bloß weil sie groß ist. Beide haben mir die wunderlichsten Geständnisse darüber gemacht. Ich bekenne dir offen, mein Geschmack wäre es nicht.«

»Da hast du aber unrecht, Lene; sie macht eine Figur.«

»Ja«, lachte Lene, sie macht eine Figur, aber sie hat keine. Siehst du denn gar nicht, daß ihr die Hüften eine Handbreit zu hoch sitzen? Aber so was seht ihr nicht, und ›Figur‹ und ›stattlich‹ ist immer euer drittes Wort, ohne daß sich wer drum kümmert, wo denn die Stattlichkeit eigentlich herkommt.«

So plaudernd und neckend blieb sie stehen und bückte sich, um auf einem langen und schmalen Erdbeerbeete, das sich in Front von Zaun und Hecke hinzog, nach einer Früherdbeere zu suchen. Endlich hatte sie, was sie wollte, nahm das Stengelchen eines wahren Prachtexemplars zwischen die Lippen und trat vor ihn hin und sah ihn an.

Er war auch nicht säumig, pflückte die Beere von ihrem Munde fort und umarmte sie und küßte sie.

»Meine süße Lene, das hast du recht gemacht. Aber höre nur, wie Sultan blafft; er will bei dir sein; soll ich ihn losmachen?«

»Nein, wenn er hier ist, hab' ich dich nur noch halb. Und sprichst du dann gar noch von der stattlichen Frau Dörr, so hab' ich dich so gut wie gar nicht mehr.«

»Gut«, lachte Botho, »Sultan mag bleiben, wo er ist. Ich bin es zufrieden. Aber von Frau Dörr muß ich noch weiter sprechen. Ist sie wirklich so gut?«

»Ja, das ist sie, trotzdem sie sonderbare Dinge sagt, Dinge, die wie Zweideutigkeiten klingen und es auch sein mögen. Aber sie weiß nichts davon, und in ihrem Tun und Wandel ist nicht das geringste, was an ihre Vergangenheit erinnern könnte.«

»Hat sie denn eine?«

»Ja. Wenigstens stand sie jahrelang in einem Verhältnis und ›ging mit ihm‹, wie sie sich auszudrücken pflegt. Und darüber ist wohl kein Zweifel, daß über dies Verhältnis und natürlich auch über die gute Frau Dörr selbst viel, sehr viel geredet worden ist. Und sie wird auch Anstoß über Anstoß gegeben haben. Nur sie selber hat sich in ihrer Einfalt nie Gedanken darüber gemacht und noch weniger Vorwürfe. Sie spricht davon wie von einem unbequemen Dienst, den sie getreulich und ehrlich erfüllt hat, bloß aus Pflichtgefühl. Du lachst, und es klingt auch sonderbar genug. Aber es läßt sich nicht anders sagen. Und nun lassen wir die Frau Dörr und setzen uns lieber und sehen in die Mondsichel.«

Wirklich, der Mond stand drüben über dem Elefantenhause, das in dem niederströmenden Silberlichte noch phantastischer aussah als gewöhnlich. Lene wies darauf hin, zog die Mantelkapuze fester zusammen und barg sich an seine Brust.

So vergingen ihr Minuten, schweigend und glücklich, und erst als sie sich wie von einem Traume, der sich doch nicht festhalten ließ, wieder aufrichtete, sagte sie: »Woran hast du gedacht? Aber du mußt mir die Wahrheit sagen.«

»Woran ich dachte, Lene? Ja, fast schäm ich mich, es zu sagen. Ich hatte sentimentale Gedanken und dachte nach Haus hin an unseren Küchengarten im Schloß Zehden, der genauso daliegt wie dieser Dörrsche, dieselben Salatbeete mit Kirschbäumen dazwischen, und ich möchte wetten, auch ebenso viele Meisenkästen. Und auch die Spargelbeete liefen so hin. Und dazwischen ging ich mit meiner Mutter, und wenn sie guter Laune war, gab sie mir das Messer und erlaubte, daß ich ihr half. Aber weh mir, wenn ich ungeschickt war und die Spargelstange zu lang oder zu kurz abstach. Meine Mutter hatte eine rasche Hand.«

»Glaub's. Und mir ist immer, als ob ich Furcht vor ihr haben müßte.«

»Furcht? Wie das? Warum, Lene?«

Lene lachte herzlich, und doch war eine Spur von Gezwungenheit darin. »Du mußt nicht gleich denken, daß ich vorhabe, mich bei der Gnädigsten melden zu lassen, und darfst es nicht anders nehmen, als ob ich gesagt hätte, ich fürchte mich vor der Kaiserin. Würdest du deshalb denken, daß ich zu Hofe wollte? Nein, ängstige dich nicht; ich verklage dich nicht.«

»Nein, das tust du nicht. Dazu bist du viel zu stolz und eigentlich eine kleine Demokratin und ringst dir jedes freundliche Wort nur so von der Seele. Hab' ich recht? Aber wie's auch sei, mache dir auf gut Glück hin ein Bild von meiner Mutter. Wie sieht sie aus?«

»Genauso wie du: groß und schlank und blauäugig und blond.«

»Arme Lene (und das Lachen war diesmal auf seiner Seite), da hast du fehlgeschossen. Meine Mutter ist eine kleine Frau mit lebhaften schwarzen Augen und einer großen Nase.«

»Glaub es nicht. Das ist nicht möglich.«

»Und ist doch so. Du mußt nämlich bedenken, daß ich auch einen Vater habe. Aber das fällt euch nie ein. Ihr denkt immer, ihr seid die Hauptsache. Und nun sage mir noch etwas über den Charakter meiner Mutter. Aber rate besser.«

»Ich denke mir sie sehr besorgt um das Glück ihrer Kinder.«

»Getroffen...«

»...Und daß all ihre Kinder reiche, das heißt sehr reiche Partien machen. Und ich weiß auch, wen sie für dich in Bereitschaft hält.«

»Eine Unglückliche, die du...«

»Wie du mich verkennst. Glaub mir, daß ich dich habe, diese Stunde habe, das ist mein Glück. Was daraus wird, das kümmert mich nicht. Eines Tages bist du weggeflogen...«

Er schüttelte den Kopf.

»Schüttle nicht den Kopf; es ist so, wie ich sage. Du liebst mich und bist mir treu, wenigstens bin ich in meiner Liebe kindisch und eitel genug, es mir einzubilden. Aber wegfliegen wirst du, das seh' ich klar und gewiß. Du wirst es müssen. Es heißt immer, die Liebe mache blind, aber sie macht auch hell und fernsichtig.«

»Ach, Lene, du weißt gar nicht, wie lieb ich dich habe.«

»Doch, ich weiß es. Und weiß auch, daß du deine Lene für was Besonderes hältst und jeden Tag denkst: ›Wenn sie doch eine Gräfin wäre.‹ Damit ist es nun aber zu spät, das bring ich nicht mehr zuwege. Du liebst mich und bist schwach. Daran ist nichts zu ändern. Alle schönen Männer sind schwach, und der Stärkere beherrscht sie... Und der Stärkere... ja, wer ist dieser Stärkere? Nun, entweder ist's deine Mutter oder das Gerede der Menschen, oder die Verhältnisse. Oder vielleicht alles drei...Aber sieh nur.«

Und sie wies nach dem Zoologischen hinüber, aus dessen Baum- und Blätterdunkel eben eine Rakete zischend in die Luft fuhr und mit einem Puff in zahllose Schwärmer zerstob. Eine zweite folgte der ersten, und so ging es weiter, als ober sie sich jagen und überholen wollten, bis es mit einem Male vorbei war und die Gebüsche drüben in einem grünen und roten Lichte zu glühen anfingen. Ein paar Vögel in ihren Käfigen kreischten dazwischen, und dann fiel nach einer langen Pause die Musik wieder ein.

»Weißt du, Botho, wenn ich dich nun so nehmen und mit dir die Lästerallee drüben auf und ab schreiten könnte, so sicher wie hier zwischen den Buchsbaumrabatten, und könnte jedem sagen: ›ja, wundert euch nur, er ist er und ich bin ich, und er liebt mich und ich liebe ihn‹ – ja, Botho, was glaubst du wohl, was ich dafür gäbe? Aber rate nicht, du rätst es doch nicht. Ihr kennt ja nur euch und euren Klub und euer Leben. Ach, das arme bißchen Leben.«

»Sprich nicht so, Lene.«

»Warum nicht? Man muß allem ehrlich ins Gesicht sehen und sich nichts weismachen lassen, und vor allem sich selber nichts weismachen. Aber es wird kalt, und drüben ist es auch vorbei. Das ist das Schlußstück, das sie jetzt spielen. Komm, wir wollen uns drin an den Herd setzen, das Feuer wird noch nicht aus sein, und die Alte ist längst zu Bett.«

So gingen sie, während sie sich leicht an seine Schulter lehnte, den Gartensteig wieder hinauf. Im »Schloß« brannte kein Licht mehr, und nur Sultan, den Kopf aus seiner Hütte vorstreckend, sah ihnen nach. Aber er rührte sich nicht und hatte bloß mürrische Gedanken.

Sechstes Kapitel

Es war die Woche danach, und die Kastanien hatten bereits abgeblüht; auch in der Bellevuestraße. Hier hatte Baron Botho von Rienäcker eine zwischen einem Front- und einem Gartenbalkon gelegene Parterrewohnung inne: Arbeitszimmer, Eßzimmer, Schlafzimmer, die sich sämtlich durch eine geschmackvolle, seine Mittel ziemlich erheblich übersteigende Einrichtung auszeichneten. In dem Eßzimmer befanden sich zwei Hertelsche Stilleben und dazwischen eine Bärenhatz, wertvolle Kopie nach Rubens, während in dem Arbeitszimmer ein Andreas Achenbachscher Seesturm, umgeben von einigen kleinen Bildern desselben Meisters paradierte. Der Seesturm war ihm bei Gelegenheit einer Verlosung zugefallen, und an diesem schönen und wertvollen Besitze hatte er sich zum Kunstkenner und speziell zum Achenbach-Enthusiasten herangebildet. Er scherzte gern darüber und pflegte zu versichern, »daß ihm sein Lotterieglück, weil es ihn zu beständig neuen Ankäufen verführt habe, teuer zu stehen gekommen sei«, hinzusetzend, »daß es vielleicht mit jedem Glücke dasselbe sei«.

Vor dem Sofa, dessen Plüsch mit einem persischen Teppich überdeckt war, stand auf einem Malachittischchen das Kaffeegeschirr, während auf dem Sofa selbst allerlei politische Zeitungen umherlagen, unter ihnen auch solche, deren Vorkommen an dieser Stelle ziemlich verwunderlich war und nur aus dem Baron Bothoschen Lieblingssatze, »Schnack gehe vor Politik« erklärt werden konnte. Geschichten, die den Stempel der Erfindung an der Stirn trugen, sogenannte »Perlen«, amüsierten ihn am meisten. Ein Kanarienvogel, dessen Bauer während der Frühstückszeit allemal offen stand, flog auch heute wieder auf Hand und Schulter seines ihn nur zu sehr verwöhnenden Herrn, der, anstatt ungeduldig zu werden, das Blatt jedesmal beiseite tat, um den kleinen Liebling zu streicheln. Unterließ er es aber, so drängte sich das Tierchen an Hals und Bart des Lesenden und piepte so lange und eigensinnig, bis ihm der Wille getan war. »Alle Lieblinge sind gleich«, sagte Baron Rienäcker, »und fordern Gehorsam und Unterwerfung.«

In diesem Augenblick ging die Korridorklingel, und der Diener trat ein, um die draußen abgegebenen Briefe zu bringen. Der eine, graues Kuvert in Quadrat, war offen und mit einer Dreipfennigmarke frankiert. »Hamburger Lotterielos oder neue Zigarren«, sagte Rienäcker und warf Kuvert und Inhalt, ohne weiter nachzusehen, beiseite. »Aber das hier... Ah, von Lene. Nun, den verspare ich mir bis zuletzt, wenn ihm dieser dritte, gesiegelte, nicht den Rang streitig macht. Ostensches Wappen. Also von Onkel Kurt Anton; Poststempel Berlin, will sagen: schon da: Was wird er nur wollen? Zehn gegen eins, ich soll mit ihm frühstücken oder einen Sattel kaufen oder ihn zu Renz begleiten, vielleicht auch zu Kroll; am wahrscheinlichsten das eine tun und das andere nicht lassen.«

Und er schnitt das Kuvert, auf dem er auch Onkel Ostens Handschrift erkannt hatte, mit einem auf dem Fensterbrett liegenden Messerchen auf und nahm den Brief heraus. Der aber lautete:

»*Hotel Brandenburg*, Nummer 15. Mein lieber Botho. Vor einer Stunde bin ich hier unter eurer alten Berliner Devise ›vor Taschendieben wird gewarnt‹ auf dem Ostbahnhofe glücklich eingetroffen und habe mich in Hotel Brandenburg einquartiert, will sagen an alter Stelle; was ein richtiger Konservativer ist, ist es auch in kleinen Dingen. Ich bleibe nur zwei Tage, denn eure Luft drückt mich. Es ist ein stickiges Nest. Alles andre mündlich. Ich erwarte Dich ein Uhr bei Hiller. Dann wollen wir einen Sattel kaufen. Und dann abends zu Renz. Sei pünktlich. Dein alter Onkel Kurt Anton.«

Rienäcker lachte. »Dachte ich's doch! Und doch eine Neuerung. Früher war es Borchardt, jetzt Hiller. Ei, ei, Onkelchen, was ein richtiger Konservativer ist, ist es auch in kleinen Dingen. Und nun meine liebe Lene...Was Onkel Kurt Anton wohl sagen würde, wenn er wüßte, in welcher Begleitung sein Brief und seine Befehle hier eingetroffen sind.«

Und während er so sprach, erbrach er Lenes Billett und las:

»Es sind nun schon volle fünf Tage, daß ich Dich nicht gesehen habe. Soll es eine volle Woche werden? Und ich dachte, Du müßtest den andern Tag wiederkommen, so glücklich war ich den Abend. Und Du warst so lieb und gut. Mutter neckt mich schon und sagt: ›Er kommt nicht wieder.‹ Ach, wie mir das immer einen Stich ins Herz gibt, weil es ja mal so kommen muß, und weil ich fühle, daß es jeden Tag kommen kann. Daran wurd' ich gestern wieder erinnert. Denn wenn ich Dir eben schrieb, ich hätte Dich fünf Tage lang nicht gesehen, so hab' ich nicht die Wahrheit gesagt; ich habe Dich gesehn, gestern, aber heimlich, verstohlen, auf dem Korso. Denke Dir, ich war auch da, natürlich weit zurück in einer Seiten-Alleh, und habe Dich eine Stunde lang auf und ab reiten sehen. Ach, ich freute mich über die Maßen, denn Du warst der stattlichste (beinah so stattlich wie Frau Dörr, die sich Dir emphelen läßt), und ich hatte solchen Stolz, Dich zu sehen, daß ich nicht einmal eifersüchtig wurde. Nur einmal kam es. Wer war denn die schöne Blondine mit den zwei Schimmeln, die ganz in einer Blumengirlande gingen? Und die Blumen so dicht, ganz ohne Blatt und Stiehl. So was Schönes hab ich all mein Lebtag nicht gesehn. Als Kind hätt ich gedacht, es muß eine Prinzessin sein; aber jetzt weiß ich, daß Prinzessinnen nicht immer die schönsten sind. Ja, sie war schön und gefiel Dir, ich sah es wohl, und Du gefiehlst ihr auch. Aber die Mutter, die neben der schönen Blondine saß, der gefielst Du noch besser. Und das ärgerte mich. Einer ganz jungen gönne ich Dich, wenn's durchaus sein muß. Aber einer alten! Und nun gar einer Mama? Nein, nein, die hat ihr Teil. Jedenfalls, mein einziger Botho, siehst Du, daß Du mich wieder gut machen und beruhigen mußt. Ich erwarte Dich morgen oder übermorgen. Und wenn Du nicht Abend kannst, so komme bei Tag, und wenn es nur eine Minute wäre. Ich habe Angst um Dich, das heißt eigentlich um mich. Du verstehst mich schon. Deine Lene.«

»Deine Lene«, sprach er, die Briefunterschrift wiederholend, noch einmal vor sich hin, und eine Unruhe bemächtigte sich seiner, weil ihm allerwiderstreitendste Gefühle durchs Herz gingen: Liebe, Sorge, Furcht. Dann durchlas er den Brief noch einmal. An zwei, drei Stellen konnte er sich nicht versagen, ein Strichelchen mit dem silbernen Crayon zu machen, aber nicht aus Schulmeisterei, sondern aus eitel Freude. »Wie gut sie schreibt! Kalligraphisch gewiß und orthographisch beinahe... Stiehl statt Stiel... Ja, warum nicht? Stiehl war eigentlich ein gefürchteter Schulrat; aber Gott sei Dank, ich bin keiner. Und ›emphelen‹. Soll ich wegen f und h mit ihr zürnen. Großer Gott, wer kann ›empfehlen‹ richtig schreiben? Die ganz jungen zürnen? Großer Gott, wer kann empfehlen richtig schreiben? Die ganz jungen Komtessen nicht immer und die ganz alten nie. Also was schadt's! Wahrhaftig, der Brief ist wie Lene selber: gut, treu, zuverlässig, und die Fehler machen ihn nur noch reizender.«

Er lehnte sich in den Stuhl zurück und legte die Hand über Stirn und Augen: »Arme Lene, was soll werden! Es wär uns beiden besser gewesen, der Ostermontag wäre diesmal ausgefallen. Wozu gibt es auch zwei Feiertage? Wozu Treptow und Stralau und Wasserfahrten? Und nun der Onkel! Entweder kommt er wieder als Abgesandter von meiner Mutter, oder er hat Pläne für mich aus sich selbst, aus eigener Initiative. Nun, ich werde ja sehen. Eine diplomatische Verstellungsschule hat er nicht durchgemacht, und wenn er zehn Eide geschworen hat, zu schweigen, es kommt doch heraus. Ich will's erfahren, trotzdem ich in der Kunst der Intrige gleich nach ihm selber komme.«

Dabei zog er ein Fach seines Schreibtisches auf, darin, von einem roten Bändchen umwunden, schon andere Briefe Lenens lagen. Und nun klingelte er nach dem Diener, der ihm beim Ankleiden behilflich sein sollte. »So, Johann, das wäre getan. Und nun vergiß nicht, die Jalousien herunterzulassen. Und wenn wer kommt und nach mir fragt, bis zwölf bin ich in der Kaserne, nach ein bei Hiller und am Abend bei Renz. Und zieh auch die Jalousien zu rechter Zeit wieder auf, daß ich nicht wieder einen Brütofen vorfinde. Und laß die Lampe vorn brennen. Aber nicht in meinem Schlafzimmer; die Mücken sind wie toll in diesem Jahr. Verstanden?«

»Zu Befehl, Herr Baron.«

Und unter diesem Gespräch, das schon halb im Korridor geführt worden war, trat Rienäcker in den Hausflur, ziepte draußen im Vorgarten die dreizehnjährige, sich gerad über den Wagen ihres kleinen Bruders beugende Portiertochter von hinten her am Zopf und empfing einen wütenden, aber im Erkennungsmoment ebenso rasch in Zärtlichkeit übergehenden Blick als Antwort darauf.

Und nun erst trat er durch die Gittertür auf die Straße. Hier sah er, unter der grünen Kastanienlaube hin, abwechselnd auf das Tor und dann wieder nach dem Tiergarten zu, wo sich, wie auf einem Camera obscura-Glase, die Menschen und Fuhrwerke geräuschlos hin und her bewegten. »Wie schön. Es ist doch wohl eine der besten Welten.«

Siebentes Kapitel

Um zwölf war der Dienst in der Kaserne getan, und Botho von Rienäcker ging die Linden hinunter aufs Tor zu, lediglich in der Absicht, die Stunde bis zum Rendezvous bei Hiller, so gut sich's tun ließ, auszufüllen. Zwei, drei Bilderläden waren ihm dabei sehr willkommen. Bei Lepke standen ein paar Oswald Achenbachs im Schaufenster, darunter eine palermitanische Straße, schmutzig und sonnig, und von einer geradezu frappierenden Wahrheit des Lebens und Kolorits. »Es gibt doch Dinge, worüber man nie ins reine kommt. So mit den Achenbachs. Bis vor kurzem hab' ich auf Andreas geschworen; aber wenn ich so was sehe, wie das hier, so weiß ich nicht, ob ihm der Oswald nicht gleichkommt oder ihn überholt. Jedenfalls ist er bunter und mannigfacher. All dergleichen aber ist mir bloß zu denken erlaubt, vor den Leuten es auszusprechen hieße meinen ›Seesturm‹ ohne Not auf den halben Preis herabsetzen.«

Unter solchen Betrachtungen stand er eine Zeitlang vor dem Lepkeschen Schaufenster und ging dann, über den Pariser Platz hin, auf das Tor und die schräg links führende Tiergartenallee zu, bis er vor der Wolfschen Löwengruppe haltmachte. Hier sah er nach der Uhr. »Halb eins. Also Zeit.« Und so wandt' er sich wieder, um auf demselben Wege nach den Linden hin zurückzukehren. Vor dem Redernschen Palais sah er Leutnant von Wedell von den Gardedragonern auf sich zukommen.

»Wohin, Wedell?«

»In den Klub. Und Sie?«

»Zu Hiller.«

»Etwas früh.«

»Ja. Aber was hilft's? Ich soll mit einem alten Onkel von mir frühstücken, neumärkisch Blut und just in dem Winkel zu Hause, wo Bentsch, Rentsch, Stentsch liegen – lauter Reimwörter auf Mensch, selbstverständlich ohne weitere Konsequenz oder Verpflichtung. Übrigens hat er, ich meine den Onkel, mal in Ihrem Regiment gestanden. Freilich lange her, erste vierziger Jahre. Baron Osten.«

»Der Wietzendorfer?«

»Eben der.«

»Oh, den kenn ich, das heißt dem Namen nach. Etwas Verwandtschaft. Meine Großmutter war eine Osten. Ist doch derselbe, der mit Bismarck auf dem Kriegsfuß steht?«

»Derselbe. Wissen Sie was, Wedell, kommen Sie mit. Der Klub läuft Ihnen nicht weg, und Pitt und Serge auch nicht; Sie finden sie um drei gerad so gut wie um eins. Der Alte schwärmt noch immer für Dragonerblau mit Gold und ist Neumärker genug, um sich über jeden Wedell zu freuen.«

»Gut, Rienäcker. Aber auf Ihre Verantwortung.«

»Mit Vergnügen.«

Unter solchem Gespräche waren sie bei Hiller angelangt, wo der alte Baron bereits an der Glastür stand und ausschaute, denn es war eine Minute nach eins. Er unterließ aber jede Bemerkung und war augenscheinlich erfreut, als Botho vorstellte: »Leutnant von Wedell.«

»Ihr Herr Neffe…«

»Nichts von Entschuldigungen, Herr von Wedell, alles, was Wedell heißt, ist mir willkommen, und wenn es diesen Rock trägt, doppelt und dreifach. Kommen Sie, meine Herren, wir wollen uns aus diesem Stuhl- und Tischdefilee herausziehen und so gut es geht nach rückwärtshin konzentrieren. Sonst nicht Preußensache; hier aber ratsam.«

Und damit ging er, um gute Plätze zu finden, vorauf und wählte nach Einblick in verschiedene kleine Kabinetts schließlich ein mäßig großes, mit einem lederfarbenen Stoff austapeziertes Zimmer, das trotz eines breiten und dreigeteilten Fensters wenig Licht hatte, weil es auf einen engen und dunklen Hof sah. Von einem hier zu vier gedeckten Tisch wurde im Nu das vierte Kuvert entfernt, und während die beiden Offiziere Pallasch und Säbel in die Fensterecke stellten, wandte sich der alte Baron an den Oberkellner, der in einiger Entfernung gefolgt war, und befahl einen Hummer und einen weißen Burgunder. »Aber welchen, Botho?«

»Sagen wir Chablis.«

»Gut, Chablis. Und frisches Wasser. Aber nicht aus der Leitung; lieber so, daß die Karaffe beschlägt. Und nun, meine Herren, bitte Platz zu nehmen: lieber Wedell hier, Botho, du da. Wenn nur diese Glut, diese verfrühte Hundstagshitze nicht wäre. Luft, meine Herren, Luft. Ihr schönes Berlin, das immer schöner wird (so versichern einen wenigstens alle, die nichts Besseres kennen), Ihr schönes Berlin hat alles, aber keine Luft.« Und dabei riß er die großen Fensterflügel auf und setzte sich so, daß er die breite Mittelöffnung gerade vor sich hatte.

Der Hummer war noch nicht gekommen, aber der Chablis stand schon da. Voll Unruhe nahm der alte Osten eins der Brötchen aus dem Korb und schnitt es mit ebensoviel Hast wie Virtuosität in Schrägstücke, bloß um etwas zu tun zu haben. Dann ließ er das Messer wieder fallen und reichte Wedell die Hand. »Ihnen unendlich verbunden, Herr von Wedell, und brillanter Einfall von Botho, Sie dem Klub auf ein paar Stunden abspenstig gemacht zu haben. Ich nehm es als eine gute Vorbedeutung, gleich bei meinem ersten Ausgang in Berlin einen Wedell begrüßen zu dürfen.«

Und nun begann er einzuschenken, weil er seiner Unruhe nicht länger Herr bleiben konnte; befahl, einen Cliquot kalt zu stellen, und fuhr dann fort: »Eigentlich, lieber Wedell, sind wir verwandt; es gibt keine Wedells, mit denen wir nicht verwandt wären, und wenn's auch bloß durch einen Scheffel Erbsen wäre; neumärkisch Blut ist in allen. Und wenn ich nun gar mein altes Dragonerblau wiedersehe, da schlägt mir das Herz bis in den Hals hinein. Ja, Herr von Wedell, alte Liebe rostet nicht. Aber da kommt der Hummer... Bitte, hier die große Schere. Die Scheren sind immer das beste... Aber, was ich sagen wollte, alte Liebe rostet nicht, und der Schneid auch nicht. Und ich setze hinzu: Gott sei Dank. Damals hatten wir noch den alten Dobeneck. Himmelwetter, war das ein Mann! Ein Mann wie ein Kind. Aber wenn es mal schlecht ging und nicht klappen wollte, wenn er einen dann ansah, den hätt' ich sehen wollen, der den Blick ausgehalten hätte. Richtiger alter Ostpreuße noch von Anno 13 und 14 her. Wir fürchteten ihn, aber wir liebten ihn auch. Denn er war wie ein Vater. Und wissen Sie, Herr von Wedell, wer mein Rittmeister war...?«

In diesem Augenblick kam auch der Champagner.

»Mein Rittmeister war Manteuffel, derselbe, dem wir alles verdanken, der uns die Armee gemacht hat und mit der Armee den Sieg.«

Herr von Wedell verbeugte sich, während Botho leichthin sagte:

»Gewiß, man kann es sagen.«

Aber das war nicht klug und weise von Botho, wie sich gleich herausstellen sollte; denn der ohnehin an Kongestionen leidende alte Baron wurde rot über den ganzen kahlen Kopf weg, und das bißchen krause Haar an seinen Schläfen schien noch krauser werden zu wollen, »Ich verstehe dich nicht, Botho; was soll dies ›Man kann es sagen‹, das heißt soviel wie ›Man kann es auch nicht sagen.‹ Und ich weiß auch, worauf das alles hinauswill. Es will andeuten, daß ein gewisser Kürassieroffizier aus der Reserve, der im übrigen mit nichts in Reserve gehalten hat, am wenigsten mit revolutionären Maßnahmen, es will andeuten, sag' ich, daß ein gewisser Halberstädter mit schwefelgelbem Kragen eigentlich auch St. Privat allerpersönlichst gestürmt und um Sedan herum den großen Zirkel gezogen habe. Botho, damit darfst du mir nicht kommen. Er war ein Referendar und hat auf der Potsdamer Regierung gearbeitet, sogar unter dem alten Meding, der nie gut auf ihn zu sprechen war, ich weiß das, und hat eigentlich nichts gelernt, als Depeschen schreiben. Soviel will ich ihm lassen, das versteht er, oder mit andern Worten: er ist ein Federfuchser. Aber nicht die Federfuchser haben Preußen groß gemacht. War der bei Fehrbellin ein Federfuchser? War der bei Leuthen ein Federfuchser? War Blücher ein Federfuchser oder York? Hier sitzt die preußische Feder. Ich kann diesen Kultus nicht leiden.«

»Aber, lieber Onkel...«

»Aber, aber, ich dulde kein Aber. Glaube mir, Botho, zu solcher Frage, dazu gehören Jahre; derlei Dinge versteh ich besser. Wie steht es denn? Er stößt die Leiter um, drauf er emporgestiegen, und verbietet sogar die Kreuzzeitung, und rund heraus: er ruiniert uns; er denkt klein von uns, er sagt uns Sottisen, und wenn ihm der Sinn danach steht, verklagt er uns auf Diebstahl oder Unterschlagung und schickt uns auf die Festung. Ach, was sag' ich, auf die Festung, Festung ist für anständige Leute, nein, ins Landarmenhaus schickt er uns, um Wolle zu zupfen... Aber Luft, meine Herren, Luft. Sie haben keine Luft hier. Verdammtes Nest.«

Und er erhob sich und riß zu dem bereits offenstehenden Mittelflügel auch noch die beiden Nebenflügel auf, so daß von dem Zuge, der ging, die Gardinen und das Tischtuch ins Wehen kamen. Dann sich wieder setzend, nahm er ein Stück Eis aus dem Champagnerkühler und fuhr sich damit über die Stirn.

»Ah«, fuhr er fort, »das Stück Eis hier, das ist das beste vom ganzen Frühstück... Und nun sagen Sie, Herr von Wedell, hab' ich recht oder nicht? Botho, Hand aufs Herz, hab' ich recht? Ist es nicht so, daß man sich als ein Märkischer von Adel aus reiner Edelmannsempörung einen Hochverratsprozeß auf den Leib reden möchte? Solchen Mann... aus unsrer besten Familie... vornehmer als die Bismarcks, und so viele für Thron und Hohenzollerntum gefallen, daß man eine ganze Leibkompanie daraus formieren könnte, Leibkompanie mit Blechmützen, und der Boitzenburger kommandiert sie. Ja, meine Herren. Und solcher Familie solchen Affront. Und warum? Unterschlagung, Indiskretion, Bruch von Amtsgeheimnis. Ich bitte Sie, fehlt nur noch Kindsmord und Vergehen gegen die Sittlichkeit, und wahrhaftig, es bleibt verwunderlich genug, daß nicht auch *das* noch herausgedrückt worden ist. Aber die Herren schweigen. Ich bitte Sie, sprechen Sie. Glauben Sie mir, daß ich andre Meinungen hören und ertragen kann; ich bin nicht wie er; sprechen Sie, Herr von Wedell, sprechen Sie.«

Wedell, in immer wachsender Verlegenheit, suchte nach einem Ausgleichs- und Beruhigungsworte: »Gewiß, Herr Baron, es ist, wie Sie sagen. Aber, Pardon, ich habe damals, als die Sache zum Austrag kam, vielfach aussprechen hören, und die Worte sind mir im Gedächtnis geblieben, daß der Schwächere drauf verzichten müsse, dem Stärkeren die Wege kreuzen zu wollen, das verbiete sich in Leben wie Politik; es sei nun mal so: Macht gehe vor Recht.«

»Und kein Widerspruch dagegen, kein Appell?«

»Doch, Herr Baron. Unter Umständen auch ein Appell. Und um nichts zu verschweigen: ich kenne solche Fälle gerechtfertigter Opposition. Was die Schwäche nicht darf, das darf die Reinheit, die Reinheit der Überzeugung, die Lauterkeit der Gesinnung. *Die* hat das Recht der Auflehnung, sie hat sogar die Pflicht dazu. Wer aber *hat* diese Lauterkeit? Hatte sie... Doch, ich schweige, weil ich weder Sie, Herr Baron, noch die Familie, von der wir sprechen, verletzen möchte. Sie wissen aber, auch ohne daß ich es sage, daß er, der das Wagnis wagte, diese Lauterkeit der Gesinnung *nicht* hatte. Der bloß Schwächere darf nichts, nur der Reine darf alles.«

»Nur der Reine darf alles«, wiederholte der alte Baron mit einem schlauen Gesicht, daß es zweifelhaft blieb, ob er mehr von der Wahrheit oder der Anfechtbarkeit dieser These durchdrungen sei. »Der Reine darf alles. Kapitaler Satz, den ich mir mit nach Hause nehme. Der wird meinem Pastor gefallen, der letzten Herbst den Kampf mit mir aufgenommen und ein Stück von meinem Acker zurückgefordert hat, Nicht seinetwegen, i Gott bewahre, bloß um des Prinzips und seines Nachfolgers willen, dem er nichts vergeben dürfe. Schlauer Fuchs. Aber der Reine darf alles.«

»Du wirst schon nachgeben in der Pfarrackerfrage«, sagte Botho. »Kenn ich doch Schönemann noch von Sellenthins her.«

»Ja, da war er noch Hauslehrer und kannte nichts Besseres, als die Schulstunden abkürzen und die Spielstunden in die Länge ziehen. Und konnte Reifen spielen wie ein junger Marquis; wahrhaftig, es war ein Vergnügen, ihm zuzusehen. Aber nun ist er sieben Jahre im Amt, und du würdest den Schönemann, der der gnädigen Frau den Hof machte, nicht wiedererkennen. Eins aber muß ich ihm lassen, er hat beide Frölens gut erzogen und am besten deine Käthe…«

Botho sah den Onkel verlegen an, fast als ober er ihn um Diskretion bitten wolle. Der alte Baron aber, überfroh, das heikle Thema so glücklich beim Schopfe gefaßt zu haben, fuhr in überströmender und immer wachsender guter Laune fort: »Ach, laß doch, Botho. Diskretion. Unsinn. Wedell ist Landsmann und wird von der Geschichte so gut wissen wie jeder andere. Weshalb schweigen über solche Dinge. Du bist doch so gut wie gebunden. Und weiß es Gott, Junge, wenn ich so die Frölens Revue passieren lasse, 'ne beßre findest du nicht; Zähne wie Perlen und lacht immmer, daß man die ganze Schnur sieht. Eine Flachsblondine zum Küssen, und wenn ich dreißig Jahre jünger wäre, höre…«

Wedell, der Bothos Verlegenheit bemerkte, wollte ihm zu Hilfe kommen und sagte: »Die Sellenthinschen Damen sind alle sehr anmutig, Mutter wie Töchter; ich war vorigen Sommer mit ihnen in Norderney, charmant, aber ich würde der zweiten den Vorzug geben…«

»Desto besser, Wedell. Da kommt ihr euch nicht in die Quer, und wir können gleich eine Doppelhochzeit feiern. Und Schönemann kann trauen, wenn Kluckhuhn, der, wie alle Alten, empfindlich ist, es zugibt, und ich will ihm nicht nur das Fuhrwerk stellen, ich will ihm auch das Stück Pfarracker ohne weiteres zedieren, wenn ich solche Hochzeit zwischen heut' und einem Jahre erlebe. Sie sind reich, lieber Wedell, und mit Ihnen pressiert es am Ende nicht. Aber sehen Sie sich unsern Freund Botho an. Daß er so wohlgenährt aussieht, das verdankt er nicht seiner Sandbüchse, die, die paar Wiesen abgerechnet, eigentlich nichts als eine Kiefernschonung ist, und noch weniger seinem Muränensee. ›Muränensee‹, das klingt wundervoll, und man könnte beinahe sagen poetisch. Aber das ist auch alles. Man kann von Muränen nicht leben. Ich weiß, du hörst nicht gerne davon; aber da wir mal dabei sind, so muß es heraus. Wie liegt es denn? Dein Großvater hat die Heide runterschlagen lassen, und dein Vater selig – ein kapitaler Mann, aber ich habe keinen Menschen je so schlecht Lomber spielen sehn und so hoch dazu –, dein Vater selig, sag' ich, hat die fünfhundert Morgen Bruchacker an die Jeseritzer Bauern parzelliert, und was von gutem Boden übriggeblieben ist, ist nicht viel, und die dreißigtausend Taler sind auch längst wieder fort. Wärst du allein, so möcht es gehen; aber du mußt teilen mit deinem Bruder, und vorläufig hat die Mama, meine Frau Schwester Liebden, das Ganze noch in Händen, eine prächtige Frau, klug und gescheit, aber auch nicht auf die sparsame Seite gefallen. Botho, wozu stehst du bei den Kaiserkürassieren, und wozu hast du eine reiche Cousine, die bloß darauf wartet, daß du kommst und in einem regelrechten Antrage das besiegelst und wahr machst, was die Eltern schon verabredet haben, als ihr noch Kinder wart? Wozu noch überlegen? Höre, wenn ich morgen auf der Rückreise bei deiner Mama mit vorfahren und ihr die Nachricht bringen könnte: ›Liebe Josephine, Botho will, alles abgemacht‹, höre, Junge, das wäre mal was, das einem alten Onkel, der's gut mit dir meint, eine Freude machen könnte. Reden Sie zu, Wedell, es ist Zeit, daß er aus der Garçonschaft herauskommt. Er vertut sonst sein bißchen Vermögen und verplempert sich wohl gar mit einer kleinen Bourgeoise. Hab' ich recht? Natürlich. Abgemacht. Und darauf müssen wir noch anstoßen. Aber nicht mit diesem Rest…« Und er drückte auf die Klingel.

»Ein' Heidsieck. Beste Marke.«

Achtes Kapitel

Im Klub befanden sich um eben diese Zeit zwei junge Kavaliere, der eine, von der Garde du Corps, schlank, groß und glatt, der andere, von den Pasewalkern abkommandiert, etwas kleiner, mit Vollbart und nur vorschriftsmäßig freiem Kinn. Der weiße Damast des Tisches, daran sie gefrühstückt hatten, war zurückgeschlagen, und an der freigewordenen Hälfte saßen beide beim Pikett.

»Sechs Blatt mit 'ner Quart.«

»Gut.«

»Und du?«

»Vierzehn As, drei Könige, drei Damen… Und du machst keinen Stich.« Und er legte das Spiel auf den Tisch und schob im nächsten Augenblick die Karten zusammen, während der andere mischte.

»Weißt du schon, Ella verheiratet sich.«

»Schade.«

»Warum schade?«

»Sie kann dann nicht mehr durch den Reifen springen.«

»Unsinn. Je mehr sie sich verheiraten, desto schlanker werden sie.«

»Doch mit Ausnahme. Viele Namen aus der Zirkusaristokratie blühen schon in der dritten und vierten Generation, was denn doch einigermaßen auf Wechselzustände von schlank und nicht schlank oder, wenn du willst, auf Neumond und erstes Viertel usw. hinweist.«

»Irrtum. Error in calculo. Du vergißt Adoption. Alle diese Zirkusleute sind heimlich Gichtelianer und vererben nach Plan und Abmachung ihr Vermögen, ihr Ansehen und ihren Namen. Es scheinen dieselben und sind doch andere geworden. Immer frisches Blut. Heb ab... Übrigens hab ich noch eine zweite Nachricht. Afzelius kommt in den Generalstab.«

»Welcher?«

»Der von den Ulanen.«

»Unmöglich.«

»Moltke hält große Stücke auf ihn, und er soll eine vorzügliche Arbeit gemacht haben.«

»Imponiert mir nicht. Alles Bibliotheks- und Abschreibesache. Wer nur ein bißchen findig ist, kann Bücher leisten wie Humboldt oder Ranke.«

»Quart. Vierzehn As.«

»Quint vom König.«

Und während die Stiche gemacht wurden, hörte man in dem Billardzimmer nebenan das Klappern der Bälle und das Fallen der kleinen Boulekegel.

Nur sechs oder acht Herren waren alles in allem in den zwei hinteren Klubzimmern, die mit ihrer Schmalseite nach einem sonnigen und ziemlich langweiligen Garten hinaussahen, versammelt, alle schweigsam, alle mehr oder weniger in ihr Whist oder Domino vertieft, nicht zum wenigstens die zwei pikettspielenden Herren, die sich eben über Ella und Afzelius unterhalten hatten. Es ging hoch, weshalb beide von ihrem Spiel erst wieder aufsahen, als sie, durch eine offne Rundbogennische, von den nebenherlaufenden Zimmer her eines neuen Ankömmlings gewahr wurden. Es war Wedell.

»Aber Wedell, wenn Sie nicht eine Welt von Neuigkeiten mitbringen, so belegen wir Sie mit dem großen Bann.«

»Pardon, Serge, es war keine bestimmte Verabredung.«

»Aber doch beinahe. Übrigens finden Sie mich persönlich in nachgiebigster Stimmung. Wie Sie sich mit Pitt auseinandersetzen wollen, der eben 150 Points verloren, ist Ihre Sache.«

Dabei schoben beide die Karten beiseits, und der von dem herzukommenden Wedell als Serge Begrüßte zog seine Remontoiruhr und sagte: »Drei Uhr fünfzehn. Also Kaffee. Irgendein Philosoph, und es muß einer der größten gewesen sein, hat einmal gesagt, das sei das Beste am Kaffee, daß er in jede Situation und Tagesstunde hineinpasse. Wahrhaftig. Wort eines Weisen. Aber wo nehmen wir ihn? Ich denke, wir setzen uns draußen auf die Terrasse, mitten in die Sonne. Je mehr man das Wetter brüskiert, desto besser fährt man. Also, Pehlecke, drei Tassen. Ich kann das Umfallen der Boulekegel nicht mehr mit anhören, es macht mich nervös; draußen haben wir freilich auch Lärm, aber doch anders, und hören statt des spitzen Klappertons das Poltern und Donnern unserer unterirdischen Kegelbahn, wobei wir uns einbilden können, am Vesuv oder Ätna zu sitzen. Und warum auch nicht? Alle Genüsse sind schließlich Einbildung, und wer die beste Phantasie hat, hat den größten Genuß. Nur das Unwirkliche macht den Wert und ist eigentlich das einzig Reale.«

»Serge«, sagte der andere, der beim Pikettspielen als Pitt angeredet worden war, »wenn du mit deinen berühmten großen Sätzen so fortfährst, so bestrafst du Wedell härter, als er verdient. Außerdem hast du Rücksicht auf mich zu nehmen, weil ich verloren habe. So, hier wollen wir bleiben, den lawn im Rücken, diesen Efeu neben uns und eine kahle Wand en vue. Himmlischer Aufenthalt für Seiner Majestät Garde! Was wohl der alte Fürst Pückler zu diesem Klubgarten gesagt haben würde! Pehlecke... so, hier den Tisch her, jetzt geht's. Und zum Schluß eine Kuba von Ihrem gelagertsten Lager. Und nun, Wedell, wenn Ihnen verziehen werden soll, schütteln Sie Ihr Gewand, bis ein neuer Krieg herausfällt oder irgendeine andere große Nachricht. Sie sind ja durch Puttkamers mit unserem lieben Herrgott verwandt. Mit welchem, brauch ich nicht erst hinzuzusetzen. Was kocht er wieder?«

»Pitt«, sagte Wedell, »ich beschwöre Sie, nur keine Bismarckfragen. Denn erstlich wissen Sie, daß ich nichts weiß, weil Vettern im siebzehnten Grad nicht gerade zu den Intimen und Vertrauten des Fürsten gehören; zum zweiten aber komme ich, statt vom Fürsten, recte von einem Bolzenschießen her, das sich mit einigen Treffern und vielen, vielen Nichttreffern gegen niemand anders als gegen Seine Durchlaucht richtete.«

»Und wer war dieser kühne Schütze?«

»Der alte Baron Osten, Rienäckers Onkel. Charmanter alter Herr und Bon-Garçon, aber freilich auch Pfiffikus.«

»Wie alle Märker.«

»Bin auch einer.«

»Tant mieux. Da wissen Sie's von sich selbst. Aber heraus mit der Sprache. Was sagt der Alte?«

»Vielerlei. Das Politische kaum der Rede wert, aber ein anderes desto wichtiger: Rienäcker steht vor einer scharfen Ecke.«

»Und vor welcher?«

»Er soll heiraten.«

»Und das nennen Sie eine scharfe Ecke? Ich bitte Sie, Wedell, Rienäcker steht vor einer viel schärferen: er hat 9000 jährlich und gibt 12000 aus, und das ist immer die schärfste aller Ecken, jedenfalls schärfer als die Heiratsecke. Heiraten ist für Rienäcker keine Gefahr, sondern die Rettung. Übrigens hab' ich es kommen sehen. Und wer ist es denn?«

»Eine Cousine!«

»Natürlich. Retterin und Cousine sind heutzutage fast identisch. Und ich wette, daß sie Paula heißt. Alle Cousinen heißen jetzt Paula.«

»Diese nicht.«

»Sondern?«

»Käthe.«

»Käthe? Ah, da weiß ich's. Käthe Sellenthin. Hm, nicht übel, glänzende Partie. Der alte Sellenthin – es ist doch der mit dem Pflaster überm Auge? – hat sechs Güter, und die Vorwerke mit eingerechnet, sind es sogar dreizehn. Geht zu gleichen Teilen, und das dreizehnte kriegt Käthe noch als Zuschlag. Gratuliere...«

»Sie kennen sie?«

»Gewiß. Wundervolle Flachsblondine mit Vergißmeinnichtaugen, aber trotzdem nicht sentimental, weniger Mond als Sonne. Sie war hier bei der Zülow in Pension und wurde mit vierzehn schon umkurt und umworben.«

»In der Pension?«

»Nicht direkt und nicht alltags, aber doch sonntags, wenn sie beim alten Osten zu Tische war, demselben, von dem Sie jetzt herkommen. Käthe, Käthe Sellenthin... sie war damals wie 'ne Bachstelze, und wir nannten sie so und war der reizendste Backfisch, den Sie sich denken können. Ich sehe noch ihren Haardutt, den wir immer den Wocken nannten. Und den soll Rienäcker nun abspinnen. Nun, warum nicht? Es wird ihm so schwer nicht werden.«

»Am Ende doch schwerer, als mancher denkt«, antwortete Wedell. »Und so gewiß er die Aufbesserung seiner Finanzen bedarf, so bin ich doch nicht sicher, daß er sich für die blonde Speziallandsmännin ohne weiteres entscheiden wird. Rienäcker ist nämlich seit einiger Zeit in einen anderen Farbenton, und zwar ins Aschfarbene gefallen, und wenn es wahr ist, was mir Balafré neulich sagte, so hat er sich's ganz ernsthaft überlegt, ob er nicht seine Weißzeugdame zur weißen Dame erheben soll. Schloß Avenel oder Schloß Zehden macht ihm keinen Unterschied, Schloß ist Schloß, und Sie wissen, Rienäcker, der überhaupt in manchem seinen eigenen Weg geht, war immer fürs Natürliche.«

»Ja«, lachte Pitt. »Das war er. Aber Balafré schneidet auf und erfindet sich interessante Geschichten. Sie sind nüchtern, Wedell, und werden doch solch erfundenes Zeug nicht glauben wollen.«

»Nein, Erfundenes nicht«, sagte Wedell. »Aber ich glaube, was ich weiß. Rienäcker, trotz seiner sechs Fuß oder vielleicht auch gerade deshalb, ist schwach und bestimmbar und von einer seltenen Weichheit und Herzensgüte.«

»Das ist er. Aber die Verhältnisse werden ihn zwingen, und er wird sich lösen und freimachen, schlimmstenfalls wie der Fuchs aus dem Eisen. Es tut weh, und ein Stückchen Leben bleibt dran hängen. Aber das Hauptstück ist doch wieder heraus, wieder frei. Vive Käthe. Und Rienäcker! Wie sagt das Sprichwort: ›Mit den Klugen ist Gott.‹«

Neuntes Kapitel

Botho schrieb denselben Abend noch an Lene, daß er am andern Tage kommen würde, vielleicht schon früher als gewöhnlich. Und er hielt Wort und war eine Stunde vor Sonnenuntergang da. Natürlich fand er auch Frau Dörr. Es war eine prächtige Luft, nicht zu warm, und nachdem man noch eine Weile geplaudert hatte, sagte Botho: »Wir könnten vielleicht in den Garten gehen.«

»Ja, in den Garten. Oder sonst wohin?«

»Wie meinst du?«

Lene lachte. »Sei nicht wieder in Sorge, Botho. Niemand ist in den Hinterhalt gelegt, und die Dame mit dem Schimmelgespann und der Blumengirlande wird dir nicht in den Weg treten.«

»Also wohin, Lene?«

»Bloß ins Feld, ins Grüne, wo du nichts haben wirst als Gänseblümchen und mich. Und vielleicht auch Frau Dörr, wenn sie die Güte haben will, uns zu begleiten.«

»Ob sie will«, sagte Frau Dörr. »Gewiß will sie. Große Ehre. Aber man muß sich doch erst ein bißchen zurechtmachen. Ich bin gleich wieder da.«

»Nicht nötig, Frau Dörr, wir holen Sie ab.«

Und so geschah es, und als das junge Paar eine Viertelstunde später auf den Garten zuschritt, stand Frau Dörr schon an der Tür, einen Umhang überm Arm und einen prachtvollen Hut auf dem Kopf, ein Geschenk Dörrs, der, wie alle Geizhälse, mitunter etwas lächerlich Teures kaufte.

Botho sagte der so Herausgeputzten etwas Schmeichelhaftes, und gleich danach gingen alle drei den Gang hinunter und traten durch ein verstecktes Seitenpförtchen auf einen Feldweg hinaus, der hier, wenigstens zunächst noch und ehe er weiter abwärts in das freie Wiesengrün einbog, an dem an seiner Außenseite hoch in Nesseln stehenden Gartenzaun hinlief.

»Hier bleiben wir«, sagte Lene. »Das ist der hübscheste Weg und der einsamste. Da kommt niemand.«

Und wirklich, es war der einsame Weg, um vieles stiller und menschenleerer als drei, vier andere, die parallel mit ihm über die Wiese hin auf Wilmersdorf zuführten und zum Teil ein eigentümliches Vorstadtleben zeigten. An dem einen dieser Wege befanden sich allerlei Schuppen, zwischen denen reckartige, wie für Turner bestimmte Gerüste standen und Bothos Neugier weckten; aber ehe er noch erkunden konnte, was es denn eigentlich sei, gab ihm das Tun drüben auch schon Antwort auf seine Frage: Decken und Teppiche wurden über die Gerüste hin ausgebreitet, und gleich danach begann ein Klopfen und Schlagen mit großen Rohrstöcken, so daß der Weg drüben alsbald in einer Staubwolke lag.

Botho wies darauf hin und wollte sich eben mit Frau Dörr in ein Gespräch über den Wert oder Unwert der Teppiche vertiefen, die, bei Lichte besehen, doch bloße Staubfänger seien, »und wenn einer nicht fest auf der Brust sei, so hätte er die Schwindsucht weg, er wisse nicht wie«. Mitten im Satz aber brach er ab, weil der von ihm eingeschlagene Weg in eben diesem Augenblicke an einer Stelle vorüberführte, wo der Schutt einer Bildhauerwerkstatt abgeladen sein mußte, denn allerhand Stuckornamente, namentlich Engelsköpfe, lagen in großer Zahl umher.

»Das ist ein Engelskopf«, sagte Botho. »Sehen Sie, Frau Dörr, und hier ist sogar ein geflügelter.«

»Ja«, sagte Frau Dörr. »Und ein Pausback dazu. Aber is es denn ein

Engel? Ich denke, wenn er so klein is und Flügel hat, heißt er Amor.«

»Amor oder Engel«, sagte Botho, »das ist immer dasselbe. Fragen Sie nur Lene, die wird es bestätigen. Nicht wahr, Lene?«

Lene tat empfindlich, aber er nahm ihre Hand, und alles war wieder gut.

Unmittelbar hinter dem Schutthaufen bog der Pfad nach links hin ab und mündete gleich danach in einen etwas größeren Feldweg ein, dessen Pappelweiden eben blühten und ihre flockenartigen Kätzchen über die Wiese hin ausstreuten, auf der sie nun wie gezupfte Watte dalagen.

»Sieh, Lene«, sagte Frau Dörr, »weißt du denn, daß sie jetzt Betten damit stopfen, ganz wie mit den Federn? Und sie nennen es Waldwolle.«

»Ja, ich weiß, Frau Dörr. Und ich freue mich immer, wenn die Leute so was ausfinden und sich zunutze machen. Aber für Sie wär' es nichts.«

»Nein, Lene, für mich wär' es nich. Da hast du recht. Ich bin so mehr fürs Feste, für Pferdehaar und Sprungfedern, und wenn es denn so wuppt...«

»O ja«, sagte Lene, der diese Beschreibung etwas ängstlich zu werden anfing. »Ich fürchte bloß, daß wir Regen kriegen. Hören Sie nur die Frösche, Frau Dörr.«

»Ja, die Poggen«, bestätigte diese. »Nachts ist es mitunter ein Gequake, daß man nicht schlafen kann. Und woher kommt es? Weil hier alles Sumpf is und bloß so tut, als ob es Wiese wäre. Sieh doch den Tümpel an, wo der Storch steht und kuckt gerade hierher. Na, nach mir sieht er nich. Da könnt er lange sehn. Und is auch recht gut so.«

»Wir müssen am Ende doch wohl umkehren«, sagte Lene verlegen, und eigentlich nur, um etwas zu sagen.

»I bewahre«, lachte Frau Dörr. »Nun erst recht nich, Lene; du wirst dich doch nich graulen und noch dazu vor so was. Adebar, du guter, bring mir... Oder soll ich lieber singen: Adebar, du bester?«

So ging es noch eine Weile weiter, denn Frau Dörr brauchte Zeit, um von einem solchen Lieblingsthema wieder loszukommen.

Endlich war aber doch eine Pause da, während welcher man in langsamem Tempo weiterschritt, bis man zuletzt an einen Höhenrücken kam, der sich hier plateauartig von der Spree nach der Havel hinüberzieht. An eben dieser Stelle hörten auch die Wiesen auf, und

Korn- und Rapsfelder fingen an, die sich bis an die vordersten Häuserreihe von Wilmersdorf zogen.

»Nun bloß da noch rauf«, sagte Frau Dörr, »und dann setzen wir uns und pflücken Butterblumen und flechten uns einen Stengelkranz. Jott, das macht immer so viel Spaß, wenn man den einen Stengel in den andern piekt, bis der Kranz fertig is oder die Kette.«

»Wohl, wohl«, sagte Lene, der es heute beschieden war, aus kleinen Verlegenheiten gar nicht herauszukommen. »Wohl, wohl. Aber nun kommen Sie, Frau Dörr; hier geht der Weg.«

Und so sprechend, stiegen sie den niedrigen Abhang hinauf und setzten sich, oben angekommen, auf einen hier seit letztem Herbst schon aus Peden und Nesseln zusammengekarrten Unkrauthaufen. Dieser Pedenhaufen war ein prächtiger Ruheplatz, zugleich auch ein Aussichtspunkt, von dem aus man über einen von Werft und Weiden eingefaßten Graben hin nicht nur die nördliche Häuserreihe von Wilmersdorf überblicken, sondern auch von einer benachbarten Kegelbahntabagie her das Fallen der Kegel und vor allem das Zurückrollen der Kugel auf zwei klapprigen Latten in aller Deutlichkeit hören konnte. Lene vergnügte sich über die Maßen darüber, nahm Bothos Hand und sagte: »Sieh, Botho, ich weiß so gut Bescheid damit (denn als Kind wohnten wir auch neben einer solchen Tabagie), daß ich, wenn ich die Kugel bloß aufsetzen höre, gleich weiß, wieviel sie machen wird.«

»Nun«, sagte Botho, »da können wir ja wetten.«

»Und um was?«

»Das findet sich.«

»Gut. Aber ich brauch es nur dreimal zu treffen, und wenn ich schweige, so zählt es nicht.«

»Bin es zufrieden.«

Und nun horchten alle drei hinüber, und die mit jedem Moment erregter werdende Frau Dörr verschwor sich hoch und teuer, ihr puppre das Herz, und ihr sei gerade so, wie wenn sie vor einem Theatervorhang sitze. »Lene, Lene, du hast dir zuviel zugetraut, Kind, das is ja gar nicht möglich.«

So wär' es wohl noch weitergegangen, wenn man nicht in eben diesem Augenblick gehört hätte, daß eine Kugel aufgesetzt und nach einmaligem dumpfem Anschlag an die Seitenbande wieder still wurde. »Sandhase«, rief Lene. Und richtig, so war es.

»Das war leicht«, sagte Botho. »Zu leicht. Das hätt' ich auch geraten. Sehen wir also, was kommt.«

Und siehe da, zwei weitere Würfe folgten, ohne daß Lene gesprochen oder sich auch nur gerührt hätte. Nur Frau Dörrs Augen traten immer mehr aus dem Kopf. Jetzt aber, und Lene hob sich sofort von ihrem Platz, kam eine kleine, feste Kugel, und in einem eigentümlichen Mischton von Elastizität und Härte hörte man sie vibrierend über das Brett hintanzen. »Alle neun«, rief Lene. Und im Nu gab es drüben ein Fallen, und der Kegeljunge bestätigte nur, was kaum noch der Bestätigung bedurfte.

»Du sollst gewonnen haben, Lene. Wir essen heute noch ein Vielliebchen, und dann geht alles in einem. Nicht wahr, Frau Dörr?«

»Versteht sich«, zwinkerte diese, »alles in einem.« Und damit band sie den Hut ab und beschrieb Kreise damit, wie wenn es ihr Markthut gewesen wäre.

Mittlerweile sank die Sonne hinter den Wilmersdorfer Kirchturm, und Lene schlug vor, aufzubrechen und den Rückweg anzutreten, »es werde so fröstlich; unterwegs aber wollte man spielen und sich greifen: sie sei sicher, Botho werde sie nicht fangen.«

»Ei, da wollen wir doch sehen.«

Und nun begann ein Jagen und Haschen, bei dem Lene wirklich nicht gefangen werden konnte, bis sie zuletzt vor Lachen und Aufregung so abgeäschert war, daß sie sich hinter die stattliche Frau Dörr flüchtete.

»Nun hab’ ich meinen Baum«, lachte sie, »nun kriegst du mich erst recht nicht.« Und dabei hielt sie sich an Frau Dörrs etwas abstehender Schoßjacke fest und schob die gute Frau so geschickt nach rechts und links, daß sie sich eine Zeitlang mit Hilfe derselben deckte. Plötzlich aber war Botho neben ihr und hielt sie fest und gab ihr einen Kuß.

»Das ist gegen die Regel; wir haben nichts ausgemacht.« Aber trotz solcher Abweisung hing sie sich doch an seinen Arm und kommandierte, während sie die Garde-Schnarrstimme nachahmte: »Paradermarsch... frei weg«, und ergötzte sich an den bewundernden und nichtendenwollenden Ausrufen, womit die gute Frau Dörr das Spiel begleitete.

»Is es zu glauben?« sagte diese. »Nein, es is nich zu glauben. Und immer so un nie anders. Un wenn ich denn an meinen denke! Nicht zu glauben, sag’ ich. Und war doch auch einer. Und tat auch immer so.«

»Was meint sie nur?« fragte Botho leise.

»Oh, sie denkt wieder... Aber, du weißt ja... Ich habe dir ja davon erzählt.«

»Ach, *das* ist es. *Der*. Nun, er wird wohl so schlimm nicht gewesen sein.«

»Wer weiß. Zuletzt ist einer wie der andere.«

»Meinst du?«

»Nein.« Und dabei schüttelte sie den Kopf, und in ihrem Auge lag etwas von Weichheit und Rührung. Aber sie wollte diese Stimmung nicht aufkommen lassen und sagte deshalbe rasch: »Singen wir, Frau Dörr, Singen wir. Aber was?«

»Morgenrot...«

»Nein, das nicht... ›Morgen in das kühle Grab‹, das ist mir zu traurig. Nein, singen wir: ›Übers Jahr, übers Jahr‹, oder noch lieber: ›Denkst du daran.‹«

»Ja, *das* is recht, *das* is schön; das is mein Leib- und Magenlied.«

Und mit gut eingeübter Stimme sangen alle drei das Lieblingslied der Frau Dörr, und man war schon bis in die Nähe der Gärtnerei gekommen, als es noch immer über das Feld hinklang: »Ich denke dran... ich danke dir mein Leben«, und dann von der andren Wegseite her, wo die lange Reihe der Schuppen und Remisen stand, im Echo widerhallte.

Die Dörr war überglücklich. Aber Lene und Botho waren ernst geworden.

Zehntes Kapitel

Es dunkelte schon, als man wieder von der Wohnung der Frau Nimptsch war, und Botho, der seine Heiterkeit und gute Laune rasch zurückgewonnen hatte, wollte nur einen Augenblick noch mit hineinsehen und sich gleich danach verabschieden. Als ihn Lene jedoch an allerlei Versprechungen und Frau Dörr mit Betonung und Augenspiel an das noch ausstehende Vielliebchen erinnerte, gab er nach und entschloß sich, den Abend über zu bleiben.

»Das ist recht«, sagte die Dörr. »Und ich bleibe nun auch. Das heißt, wenn ich bleiben darf und bei den Vielliebchen nicht störe. Denn man kann doch nie wissen. Und ich will bloß noch den Hut nach Hause bringen und den Umhang. Und denn komm ich wieder.«

»Gewiß müssen Sie wiederkommen«, sagte Botho, während er ihr die Hand gab. »So jung kommen wir nicht wieder zusammen.«

»Nein, nein«, lachte die Dörr, »so jung kommen wir nicht wieder zusammen. Un is auch eigentlich ganz unmöglich, un wenn wir auch morgen schon wieder zusammenkämen. Denn ein Tag is doch immer ein Tag und macht auch schon was aus. Und deshalb is es ganz richtig, daß wir so jung nich wieder zusammenkommen. Und muß sich jeder gefallen lassen.«

In dieser Tonart ging es noch eine Weile weiter, und die von niemandem bestrittene Tatsache des täglichen Älterwerdens gefiel ihr so, daß sie dieselbe noch einige Male wiederholte. Dann erst ging sie. Lene begleitete sie bis auf den Flur, Botho seinerseits aber setzte sich neben Frau Nimptsch und fragte, während er ihr das von der Schulter gefallene Umschlagetuch wieder umhing, »ob sie noch böse sei, daß er die Lene wieder auf ein paar Stunden entführt habe? Aber es sei so hübsch gewesen, und oben auf dem Pedenhaufen, wo sie sich ausgeruht und geplaudert hätten, hätten sie der Zeit ganz vergessen.«

»Ja, die Glücklichen vergessen die Zeit«, sagte die Alte. »Und die Jugend is glücklich, un is auch gut so un soll so sein. Aber wenn man alt wird, lieber Herr Baron, da werden einen die Stunden lang, un man wünscht sich die Tage fort un das Leben auch.«

»Ach, das sagen Sie so, Mutterchen. Alt oder jung, eigentlich lebt doch jeder gern. Nicht wahr, Lene, wir leben gern?«

Lene war eben wieder vom Flur her in die Stube getreten und lief, wie getroffen von dem Wort, auf ihn zu und umhalste und küßte ihn und war überhaupt von einer Leidenschaftlichkeit, die ihr sonst fremd war.

»Lene, was hast du nur?«

Aber sie hatte sich schon wieder gesammelt und wehrte mit rascher Handbewegung seine Teilnahme ab, wie wenn sie sagen wollte: »Frage nicht.« Und nung ging sie, während Botho mit Frau Nimptsch weitersprach, auf das Küchenschapp zu, kramte drin umher und kam gleich danach und völlig heitern Gesichts mit einem kleinen, in blaues Zuckerpapier genähten Buche zurück, das ganz das Aussehen hatte wie die, drin Hausfrauen ihre täglichen Ausgaben aufschreiben. Dazu diente das Büchelchen denn auch wirklich und zugleich zu Fragen, mit denen sich Lene, sei's aus Neugier oder gelegentlich auch aus tieferem Interesse, beschäftigte. Sie schlug es jetzt auf und wies auf die letzte Seite, drauf Bothos Blick sofort der dick unterstrichenen Überschrift begegnete: »*Was zu wissen not tut.*«

»Alle Tausend, Lene, das klingt ja wie ein Traktätchen oder Lustspieltitel.«

»Ist auch so was. Lies nur weiter.«

Und nun las er: »Wer waren die beiden Damen auf dem Korso? Ist es die ältere oder ist es die junge? Wer ist Pitt? Wer ist Serge? Wer ist Gaston?«

Botho lachte. »Wenn ich dir das alles beantworten soll, Lene, so bleib ich bis morgen früh.«

Ein Glück, daß Frau Dörr bei dieser Antwort fehlte, sonst hätte es eine neue Verlegenheit gegeben. Aber die sonst so flinke Freundin, flink wenigstens, wenn es sich um den Baron handelte, war noch nicht wieder zurück, und so sagte denn Lene: »Gut, so will ich mich handeln lassen. Und meinetwegen denn von den zwei Damen ein andermal! Aber was bedeuten die fremden Namen? Ich habe schon neulich danach gefragt, als du die Tüte brachtest. Aber was du da sagtest, war keine rechte Antwort, nur so halb. Ist es ein Geheimnis?«

»Nein.«

»Nun denn, sage.«

»Gern, Lene. Diese Namen sind bloß Necknamen.«

»Ich weiß. Das sagtest du schon.«

» ...Also Namen, die wir uns aus Bequemlickeit beigelegt haben, mit und ohne Beziehung, je nachdem.«

»Und was heißt Pitt?«

»Pitt war ein englischer Staatsmann.«

»Und ist dein Freund auch einer?«

»Um Gottes willen ...«

»Und Serge?«

»Das ist ein russischer Vorname, den ein Heiliger und viele russische Großfürsten führen.«

»Die aber nicht Heilige zu sein brauchen, nicht wahr? ...Und Gaston?«

»Ist ein französischer Name.«

»Ja, dessen entsinn' ich mich. Ich habe mal, als ein ganz junges Ding, und ich war noch nicht eingesegnet, ein Stück gesehen: ›Der Mann mit der eisernen Maske.‹ Und der mit der Maske, der hieß Gaston. Und ich weinte jämmerlich.«

»Und lachst jetzt, wenn ich dir sage: Gaston bin ich.«

»Nein, ich lache nicht. Du hast auch eine Maske.«

Botho wollte scherz- und ernsthaft das Gegenteil versichern, aber Frau Dörr, die gerade wieder eintrat, schnitt das Gespräch ab, indem sie sich entschuldigte, daß sie so lange habe warten lassen. Aber eine Bestellung sei gekommen und sie habe rasch noch einen Begräbniskranz flechten müssen.

»Einen großen oder einen kleinen?« fragte die Nimptsch, die gern von Begräbnissen sprach und eine Passion hatte, sich von allem Dazugehörigen erzählen zu lassen.

»Nun«, sagte die Dörr, »es war ein mittelscher; kleine Leute. Efeu mit Azalie.«

»Jott«, fuhr die Nimptsch fort, »alles is jetzt für Efeu mit Azalie, bloß ich nich. Efeu is ganz gut, wenn er aufs Grab kommt und alles so grün und dicht einspinnt, daß das Grab seine Ruhe hat und der drunter liegt auch. Aber Efeu in'n Kranz, das is nich richtig. Zu meiner Zeit, da nahmen wir Immortellen, gelbe oder halbgelbe, und wenn es ganz was Feines sein sollte, denn nahmen wir rote oder weiße und machten Kränze daraus oder auch bloß einen und hingen ihn ans Kreuz, und da hing er denn den ganzen Winter, und wenn der Frühling kam, da hing er noch. Un manche hingen noch länger. Aber so mit Efeu oder Azalie, das is nichts. Un warum nicht? Darum nicht, weil es nich lange dauert. Un ich denke mir immer, je länger der Kranz oben hängt, desto länger denkt der Mensch auch an seine Toten unten. Un mitunter auch 'ne Witwe, wenn sie nich zu jung is. Un das is es, warum ich für Immortelle bin, gelbe oder rote oder auch weiße, un kann ja jeder einen andern Kranz zuhängen, wenn er will. Das is denn so für den Schein. Aber der immortellige, das ist der richtige.«

»Mutter«, sagte Lene, »du sprichst wieder so viel von Grab und Kranz.«

»Ja, Kind, jeder spricht, woran er denkt. Un denkt einer an Hochzeit, denn red't er von Hochzeit, un denkt einer an Begräbnis, denn red't er von Grab. Un ich habe nich mal angefangen, von Grab und Kranz zu reden, Frau Dörr hat angefangen, was auch ganz recht war. Un ich spreche bloß immer davon, weil ich immer 'ne Angst habe un immer denke: ja, wer wird dir mal einen bringen?«

»Ach Mutter . . .«

»Ja, Lene, du bist gut, du bist ein gutes Kind. Aber der Mensch denkt un Gott lenkt, un heute rot und morgen tot. Und du kannst sterben so gut wie ich, jeden Tag, den Gott werden läßt, wenn ich es auch nich glaube. Un Frau Dörr kann auch sterben oder wohnt denn, wenn ich sterbe, vielleicht wo anders, oder ich wohne wo anders un bin vielleicht eben erst eingezogen. Ach, meine liebe Lene, man hat nichts sicher, gar nichts, auch nicht mal einen Kranz aufs Grab.«

»*Doch, doch,* Mutter Nimptsch«, sagte Botho, »den haben Sie sicher.«

»Na, na, Herr Baron, wenn es man wahr is.«

»Und wenn ich in Petersburg bin oder in Paris, und ich höre, daß meine alte Frau Nimptsch gestorben ist, dann schick' ich einen Kranz, und wenn ich in Berlin bin oder in der Nähe, dann bring ich ihn selber.«

Der Alten Gesicht verklärte sich ordentlich vor Freude. »Na, das is ein Wort, Herr Baron. Und da hab' ich doch nu meinen Kranz aufs Grab und is mir lieb, daß ich ihn habe. Denn ich kann die kahlen Gräber nich leiden, die so aussehn wie'n Waisenhauskirchhof oder für die Gefangenen oder noch schlimmer. Aber nu mach einen Tee, Lene, das Wasser kocht und bullert schon, un Erdbeeren un Milch sind auch da. Un auch saure. Jott, den armen Herrn Baron muß ja schon ganz jämmerlich sein. Immer ankucken macht hungrig, so viel weiß ich auch noch. Ja, Frau Dörr, man hat ja doch auch mal seine Jugend gehabt, un wenn es auch lange her is. Aber die Menschen waren damals so wie heut.«

Frau Nimptsch, die heut ihren Redetag hatte, philosophierte noch eine Weile weiter, während Lene das Abendbrot auftrug und Botho seine Neckereien mit der guten Frau Dörr fortsetzte. Das sei gut, daß sie den Staatshut zu rechter Zeit zu Bette gebracht habe, der sei für Kroll oder fürs Theater, aber nicht für den Wilmersdorfer Pedenhaufen. Wo sie den Hut denn eigentlich her habe? Solchen Hut habe keine Prinzessin. Und er habe so was Kleidsames überhaupt noch gar nicht gesehen; er wolle nicht von sich selber reden, aber ein Prinz hätte sich drin vergaffen können.

Die gute Frau hörte wohl heraus, daß er sich einen Spaß mache. Trotzdem sagte sie: »Ja, wenn Dörr mal anfängt, denn is er so forsch und fein, daß ich mitunter gar nich weiß, wo er's her hat. Alltags is nich viel mit ihm, aber mit eins is er wie vertauscht un gar nicht mehr derselbe, un ich sage denn immer: es is am Ende doch was mit ihm, un er kann es man bloß nich so zeigen.«

So plauderte man beim Tee, bis zehn Uhr heran war. Dann brach Botho auf, und Lene und Frau Dörr begleiteten ihn durch den Vorgarten bis an die Gartentür. Als sie hier standen, erinnerte die Dörr daran, daß man die Vielliebchen noch immer vergessen habe. Botho schien aber die Mahnung überhören zu wollen und betonte nur nochmals, wie hübsch der Nachmittag gewesen sei. »Wir müssen öfter so gehen, Lene, und wenn ich wiederkomme, dann überlegen wir, wohin. Oh, ich werde schon etwas finden, etwas Hübsches und Stilles, und recht weit und nicht so bloß über Feld.«

»Und dann nehmen wir Frau Dörr wieder mit«, sagte Lene, »oder bitten wir sie darum. Nicht wahr, Botho?«

»Gewiß, Lene. Frau Dörr muß immer dabei sein. Ohne Frau Dörr geht es nicht.«

»Ach, Herr Baron, das kann ich ja gar nich annehmen, das kann ich ja gar nich verlangen.«

»Doch, liebe Frau Dörr«, lachte Botho. »Sie können *alles* verlangen. Eine Frau wie Sie.«

Und damit trennte man sich.

Elftes Kapitel

Die Landpartie, die man nach dem Wilmersdorfer Spaziergange verabredet oder wenigstens geplant hatte, war nun auf einige Wochen hin das Lieblingsgespräch, und immer, wenn Botho kam, überlegte man, *wohin?* Alle möglichen Plätze wurden erwogen: Erkner und Kranichberge, Schwilow und Baumgartenbrück, aber alle waren immer noch zu besucht, und so kam es, daß Botho schließlich »Hankels Ablage« nannte, von dessen Schönheit und Einsamkeit er wahre Wunderdinge gehört habe; Lene war einverstanden. Ihr lag nur daran, mal hinauszukommen und in Gottes freier Nater, möglichst fern von dem großstädtischen Getriebe, mit dem geliebten Manne zusammen zu sein. Wo, war gleichtgültig.

Der nächste Freitag wurde zu der Partie bestimmt. »Abgemacht.« Und nun fuhren sie mit dem Görlitzer Nachmittagszuge nach Hankels Ablage hinaus, wo sie Nachtquartier nehmen und den andern Tag in aller Stille zubringen wollten.

Der Zug hatte nur wenige Wagen, aber auch diese waren schwach besetzt, und so kam es, daß sich Botho und Lene allein befanden. In dem Coupé nebenan wurde lebhaft gesprochen, zugleich deutlich genug, um herauszuhören, daß es Weiterreisende waren, keine Mitpassagiere für Hankels Ablage.

Lene war glücklich, reichte Botho die Hand und sah schweigend in die Wald- und Heidelandschaft hinaus. Endlich sagte sie: »Was wird aber Frau Dörr sagen, daß wir sie zu Hause gelassen?«

»Sie darf es gar nicht erfahren.«

»Mutter wird es ihr ausplaudern.«

»Ja, dann steht es schlimm, und doch ließ sich's nicht anders tun. Sieh, auf der Wiese neulich, da ging es, da waren wir mutterwindallein. Aber wenn wir in Hankels Ablage auch noch so viel Einsamkeit finden, so finden wir doch immer einen Wirt und eine Wirtin und vielleicht sogar einen Berliner Kellner. Und solch ein Kellner, der immer so still vor sich hinlacht oder wenigstens in sich hinein, den kann ich nicht aushalten, der verdirbt mir die Freude. Frau Dörr, wenn sie neben deiner Mutter sitzt oder den alten Dörr erzieht, ist unbezahlbar, aber nicht unter Menschen. Unter Menschen ist sie bloß komische Figur und eine Verlegenheit.«

Gegen fünf hielt der Zug an einem Waldrande... Wirklich, niemand außer Botho und Lene stieg aus, und beide schlenderten jetzt behaglich und unter häufigem Verweilen auf ein Gasthaus zu, das, in etwa zehn Minuten Entfernung von dem kleinen Stationsgebäude hart an der Spree seinen Platz hatte. Dies »Etablissement«, wie sich's auf einem schiefstehenden Wegweiser nannte, war ursprünglich ein bloßes Fischerhaus gewesen, das sich erst sehr allmählich und mehr durch An- als Umbau in ein Gasthaus verwandelt hatte: der Blick über den Strom aber hielt für alles, was sonst vielleicht fehlen mochte, schadlos und ließ das glänzende Renommee, dessen sich diese Stelle bei allen Eingeweihten erfreute, keinen Augenblick als übertrieben erscheinen. Auch Lene fühlte sich sofort angeheimelt und nahm in einer verandaartig vorgebauten Holzhalle Platz, deren eine Hälfte von dem Gezweig einer alten, zwischen Haus und Ufer stehenden Ulme verdeckt wurde.

»Hier bleiben wir«, sagte sie. »Sieh doch nur die Kähne, zwei drei... und dort weiter hinauf kommt eine ganze Flotte. Ja, das war ein glücklicher Gedanke, der uns hierher führte. Sieh doch nur, wie sie drüben auf dem Kahne hin und her laufen und sich gegen die Ruder stemmen. Und dabei alles so still. Oh, mein einziger Botho, wie schön das ist und wie gut ich dir bin.«

Botho freute sich, Lene so glücklich zu sehen. Etwas Entschlossenes und beinah Herbes, das sonst in ihrem Charakter lag, war wie von ihr genommen und einer ihr sonst fremden Gefühlsweichheit gewichen, und dieser Wechsel schien ihr selber unendlich wohl zu tun.

Nach einer Weile kam der sein »Etablissement« schon von Vater und Großvater her innehabende Wirt, um nach den Befehlen der Herrschaften zu fragen, vor allem auch, »ob sie zu Nacht bleiben würden«, und bat, als diese Frage bejaht worden war, über ihr Zimmer Beschluß fassen zu wollen. Es standen ihnen mehrere zur Verfügung, unter denen die Giebelstube wohl die beste sein würde. Sie sei zwar niedrig, aber sonst groß und geräumig und hätte den Blick über die Spree bis an die Müggelberge.

Der Wirt ging nun, als sein Vorschlag angenommen war, um die nötigen Vorbereitungen zu treffen, und Botho und Lene waren nicht nur wieder allein miteinander, sondern genossen auch das Glück dieses Alleinseins in vollen Zügen. Auf einem der herabhängenden Ulmenzweige wiegte sich ein in einem niedrigen Nachbargebüsche nistender Fink, Schwalben fuhren hin und her, und zuletzt kam eine schwarze Henne mit einem lange Gefolge von Entenküken an der Veranda vorüber und stolzierte gravitätisch auf einen weit in den Fluß hineingebauten Wassersteg zu. Mitten auf diesem Steg aber blieb die Henne stehen, während sich die Küken ins Wasser stürzten und fortschwammen.

Lene sah eifrig dem allen zu. »Sieh nur, Botho, wie der Strom durch die Pfähle schießt.« Aber eigentlich war es weder der Steg noch die durchschießende Flut, was sie fesselte, sondern die zwei Boote, die vorn angekettet lagen. Sie liebäugelte damit und erging sich in kleinen Fragen und Anspielungen, und erst als Botho taub blieb und durchaus nichts davon verstehen wollte, rückte sie klarer mit der Sprache heraus und sagte rundweg, daß sie gern Wasser fahren möchte.

»Weiber sind doch unverbesserlich. Unverbesserlich in ihrem Leichtsinn. Denk an den zweiten Ostertag. Um ein Haar...«

»...Wär' ich ertrunken. Gewiß. Aber das war nur das eine. Nebenher lief die Bekanntschaft mit einem stattlichen Herrn, dessen du dich vielleicht entsinnst. Er hieß Botho...Du wirst doch, denk' ich, den zweiten Ostertag nicht als einen Unglückstag ansehen wollen? Da bin ich artiger und galanter.«

»Nun, nun...aber kannst du denn auch rudern, Lene?«

»Freilich kann ich. Und kann auch sogar steuern und ein Segel stellen. Weil ich beinah ertrunken wäre, denkst du gering von mir und meiner Kunst. Aber der Junge war schuld, und ertrinken kann am Ende jeder.«

Und dabei ging sie von der Veranda her den Steg entlang auf die zwei Boote zu, deren Segel eingerefft waren, während ihre Wimpel, mit eingesticktem Namen, oben an der Mastspitze flatterten.

»Welches nehmen wir«, sagte Botho, »die ›Forelle‹ oder die ›Hoffnung‹?«

»Natürlich die ›Forelle‹. Was sollen wir mit der ›Hoffnung‹?«

Botho hörte wohl heraus, daß dies von Lene mit Absicht und um zu sticheln gesagt wurde, denn so fein sie fühlte, so verleugnete sie doch nie das an kleinen Spitzen Gefallen findende Berliner Kind. Er verzieh ihr aber dies Spitzige, schwieg und war ihr beim Einsteigen behilflich. Dann sprang er nach. Als er gleich darauf das Boot losketten wollte, kam der Wirt und brachte Jackett und Plaid, weil es bei Sonnenuntergang kalt würde. Beide dankten, und in Kürze waren sie mitten auf dem Strom, der hier, durch Inseln und Landzungen eingeengt, keine dreihundert Schritte breit sein mochte. Lene tat nur dann und wann einen Schlag mit dem Ruder, aber auch diese wenigen Schläge reichten schon aus, sie nach einer kleinen Weile bis an eine hoch ins Gras stehende, zugleich als Schiffswerft dienende Wiese zu führen, auf der, in einiger Entfernung von ihnen, ein Spreekahn gebaut und alte, leckgewordene Kähne kalfatert und geteert wurden.

»Dahin müssen wir«, jubelte Lene, während sie Botho mit sich fortzog. Aber ehe beide an die Schiffsbaustelle heran waren, hörte das Hämmern der Zimmermannsaxt auf, und das beginnende Läuten der Glocke verkündete, daß Feierabend sei. So bogen sie denn hundert Schritt von der Werft in einen Pfad ein, der schräg über die Wiese hin, auf einen Kieferwald zuführte. Die roten Stämme desselben glühten prächtig im Widerschein der schon tief stehenden Sonne, während über den Kronen ein bläulicher Nebel lag.

»Ich möchte dir einen recht schönen Strauß pflücken«, sagte Botho, während er Lene bei der Hand nahm. »Aber sieh nur, die reine Wiese, nichts als Gras und keine Blume. Nicht eine.«

»Doch. Die Hülle und Fülle. Du siehst nur keine, weil du zu anspruchsvoll bist.«

»Und wenn ich es wäre, so wär ich es bloß für dich.«

»Oh, keine Ausflüchte. Du wirst sehen, ich finde welche.«

Und sich niederbückend, suchte sie nach rechts und links hin und sagte: »Sieh nur, hier...und hier wieder. Es stehen hier mehr als in Dörrs Garten; man muß nur ein Auge dafür haben.« Und so pflückte sie behend und emsig, zugleich allerlei Unkraut und Grashalme mit ausreißend, bis sie, nach kurzer Zeit eine Menge Brauchbares und Unbrauchbares in Händen hatte.

Währenddem waren sie bis an eine seit Jahr und Tag leerstehende Fischerhütte gekommen, vor der, auf einem mit Kienäpfeln überstreuten Sandstreifen (denn der Wald stieg unmittelbar dahinter an) ein umgestülpter Kahn lag.

»Der kommt uns zu paß«, sagte Botho, »hier wollen wir uns setzen. Du mußt ja müde sein. Und nun laß sehen, was du gepflückt hast. Ich glaube, du weißt es selber nicht, und ich werde mich auf den Botaniker hin ausspielen müssen. Gib her. Das ist Ranunkel, und das ist Mäuseohr, und manche nennen es auch falsches Vergißmeinnicht. Hörst du, falsches. Und hier das mit dem gezackten Blatt, das ist Taraxacum, unsere gute alte Butterblume, woraus die Franzosen Salat machen. Nun meinetwegen. Aber Salat und Bukett ist ein Unterschied.«

»Gib nur wieder her«, lachte Lene. »Du hast kein Auge für diese Dinge, weil du keine Liebe dafür hast, und Auge und Liebe gehören immer zusammen. Erst hast du der Wiese die Blumen abgesprochen, und jetzt, wo sie da sind, willst du sie nicht als richtige Blumen gelten lassen. Es sind aber Blumen und noch dazu sehr gute. Was gilt die Wette, daß ich dir etwas Hübsches zusammenstelle.«

»Nun, da bin ich doch neugierig, was du wählen wirst.«

»Nur solche, denen du selber zustimmst. Und nun laß uns anfangen. Hier ist Vergißmeinnicht, aber kein Mäuseohr-Vergißmeinnicht, will sagen kein falsches, sondern ein echtes. Zugestanden?«

»Ja.«

»Und das hier ist Ehrenpreis, eine feine, kleine Blume. Die wirst du doch auch wohl gelten lassen? Da frag’ ich gar nicht erst. Und diese große rotbraune, das ist Teufels-Abbiß und eigens für dich gewachsen. Ja, lache nur. Und das hier«, und sie bückte sich nach ein paar gelben Blumenköpfchen, die gerade vor ihr auf der Sandstelle blühten, »das sind Immortellen.«

»Immortellen«, sagte Botho. »Die sind ja die Passion der alten Frau Nimptsch. Natürlich, *die* nehmen wir, *die* dürfen nicht fehlen. Und nun binde nur das Sträußchen zusammen.«

»Gut. Aber womit? Wir wollen es lassen, bis wir eine Binse finden.«

»Nein, solange will ich nicht warten. Und ein Binsenhalm ist mir auch nicht gut genug, ist zu dick und zu grob. Ich will was Feines. Weißt du, Lene, du hast so schönes langes Haar, reiß eins aus und flicht den Strauß damit zusammen.«

»Nein«, sagte sie bestimmt.

»Nein? Warum nicht? Warum nein?«

»Weil das Sprichwort sagt: ›Haar bindet.‹ Und wenn ich es um den Strauß binde, so bist du mitgebunden.«

»Ach, das ist Aberglauben. Das sagt Frau Dörr.«

»Nein, die alte Frau sagt es. Und was die mir von Jugend auf gesagt hat, auch wenn es wie Aberglauben aussah, das war immer richtig.«

»Nun meinetwegen. Ich streite nicht. Aber ich will kein anderes

Band um den Strauß, als ein Haar von dir. Und du wirst doch nicht so eigensinnig sein und mir's abschlagen.«

Sie sah ihn an, zog ein Haar aus ihrem Scheitel und wand es um den Strauß. Dann sagte sie: »Du hast es gewollt. Hier, nimm es. Nun bist du gebunden.«

Er versuchte zu lachen, aber der Ernst, mit dem sie das Gespräch geführt und die letzten Worte gesprochen hatte, war doch nicht ohne Eindruck auf ihn geblieben.

»Es wird kühl«, sagte er nach einer Weile. »Der Wirt hatte recht, dir Jackett und Plaid nachzubringen. Komm, laß uns aufbrechen.«

Und so gingen sie wieder auf die Stelle zu, wo das Boot lag, und eilten sich, über den Fluß zu kommen.

Jetzt erst, im Rückfahren, sahen sie, wie malerisch das Gasthaus dalag, dem sie mit jedem Ruderschlage näher kamen. Eine hohe groteske Mütze, so saß das Schilfdach auf dem niedrigen Fachwerkbau, dessen vier kleine Frontfenster sich eben zu erhellen begannen. Und im selben Augenblicke wurden auch ein paar Windlichter in die Veranda getragen, und durch das Gezweige der alten Ulme, das im Dunkel einem phantastischen Gitterwerke glich, blitzten allerlei Lichtstreifen über den Strom hin.

Keiner sprach. Jeder aber hing seinem Glück und der Frage nach, wie lange das Glück noch dauern werde.

Zwölftes Kapitel

Es dunkelte schon, als sie landeten.

»Laß uns diesen Tisch nehmen«, sagte Botho, während sie wieder unter die Veranda traten: »Hier trifft dich kein Wind, und ich bestelle dir einen Grog oder Glühwein, nicht wahr? Ich sehe ja, du hast es kalt.«

Er schlug ihr noch allerlei andres vor, aber Lene bat, auf ihr Zimmer gehen zu dürfen; wenn er dann komme, sei sie wieder munter. Sie sei nur angegriffen und brauche nichts; und wenn sie nur Ruhe habe, so werd' es vorübergehen.

Damit verabschiedete sie sich und stieg in die mittlerweile hergerichtete Giebelstube hinauf, begleitet von der in durchaus irrigen Vermutungen befangenen Wirtin, die sofort neugierig fragte, »was es denn eigentlich sei«, und, einer Antwort unbedürftig, im selben Augenblick fortfuhr: ja, das sei so bei jungen Frauen, das wisse sie von sich selber, und eh ihr Ältester geboren wurde (jetzt habe sie schon vier und eigentlich fünf, aber der mittelste sei zu früh gekommen und gleich tot), da hätte sie's auch gehabt. Es flög' einen so an und sei dann wie zum Sterben. Aber eine Tasse Melissentee, das heißt Klostermelisse, da fiele es gleich wieder ab, und man sei mit eins wieder wie'n Fisch im Wasser und ordentlich aufgekratzt und fidel und ganz zärtlich. »Ja, ja, gnädige Frau, wenn erst so vier um einen rumstehen, ohne daß ich den kleinen Engel mitrechne...«

Lene bezwang nur mit Müh' ihre Verlegenheit und bat, um wenigstens etwas zu sagen, um etwas Melissentee, Klostermelisse, wovon sie auch schon gehört habe.

Während oben in der Giebelstube dies Gespräch geführt wurde, hatte Botho Platz genommen, aber nicht innerhalb der windgeschützten Veranda, sondern an einem urwüchsigen Brettertisch, der, in Front derselben, auf vier Pfählen aufgenagelt war und einen freien Blick hatte. Hier wollte er sein Abendbrot einnehmen. Er bestellte sich denn auch ein Fischgericht, und als der »Schlei mit Dill«, wofür das Wirtshaus von alter Zeit her ein Renommee hatte, aufgetragen wurde, kam der Wirt, um zu fragen, welchen Wein der Herr Baron – er gab ihm diesen Titel auf gut Glück hin – befehle.

»Nun, ich denke«, sagte Botho, »zu dem delikaten Schlei paßt am besten ein Brauneberger oder, sagen wir lieber, ein Rüdesheimer, und zum Zeichen, daß er gut ist, müssen Sie sich zu mir setzen und bei Ihrem eigenen Weine mein Gast sein.«

Der Wirt verbeugte sich unter Lächeln und kam bald danach mit einer angestaubten Flasche zurück, während die Magd, eine hübsche Wendin in Friesrock und schwarzem Kopftuch, auf einem Tablett die Gläser brachte.

»Nun, lassen Sie sehn«, sagte Botho. »Die Flasche verspricht alles mögliche Gute. Zu viel Staub und Spinnweb ist allemal verdächtig, aber dieser hier... Ah, superb! Das ist 70er, nicht wahr? Und nun lassen Sie uns anstoßen! Ja, auf was? Auf das Wohl von Hankels Ablage!«

Der Wirt war augenscheinlich entzückt, und Botho, der wohl sah, welchen guten Eindruck er machte, fuhr deshalb in dem ihm eigenen leichten und leutseligen Tone fort: »Ich find' es reizend hier, und nur eins läßt sich gegen Hankels Ablage sagen: der Name.«

»Ja«, bestätigte der Wirt, »der Name, der läßt viel zu wünschen übrig und ist eigentlich ein Malheur für uns. Und doch hat es seine Richtigkeit damit; Hankels Ablage war nämlich wirklich eine Ablage, und so heißt es denn auch so.«

»Gut. Aber das bringt uns nicht weiter. Warum hieß es Ablage?

Was ist Ablage?«

»Nun, wir könnten auch sagen: Aus- und Einladestelle. Das ganze Stück Land hierherum (und er wies nach rückwärts) war nämlich immer ein großes Dominium und hieß unter dem Alten Fritzen und auch früher schon unter dem Soldatenkönige die Herrschaft Wusterhausen. Und es gehörten wohl an die dreißig Dörfer dazu, samt Forst und Heide. Nun sehen Sie, die dreißig Dörfer, die schafften natürlich was und brauchten was, oder, was dasselbe sagen will, sie hatten Ausfuhr und Einfuhr, und für beides brauchten sie von Anfang an einen Hafen- oder Stapelplatz und konnte nur noch zweifelhaft sein, welche Stelle man dafür wählen würde. Da wählten sie *diese* hier; diese Bucht wurde Hafen, Stapelplatz, ›Ablage‹ für alles, was kam und ging, und weil der Fischer, der damals hier wohnte, beiläufig mein Ahnherr, Hankel hieß, so hatten wir eine ›*Hankels Ablage*‹.«

»Schade«, sagte Botho, »daß man's nicht jedem so rund und nett erklären kann«, und der Wirt, der sich hierdurch ermutigt fühlen mochte, wollte fortfahren. Ehe er aber beginnen konnte, hörte man einen Vogelschrei hoch oben in den Lüften, und als Botho neugierig hinaufsah, sah er, daß zwei mächtige Vögel, kaum noch erkennbar, im Halbdunkel über der Wasserfläche hinschwebten.

»Waren das wilde Gänse?«

»Nein, Reiher. Die ganze Forst hierherum ist Reiher-Forst. Überhaupt ein rechter Jagdgrund, Schwarzwild und Damwild in Massen, und in dem Schilf und Rohr hier Enten, Schnepfen und Bekassinen.«

»Entzückend«, sagte Botho, in dem sich der Jäger regte. »Wissen Sie, daß ich Sie beneide. Was tut schließlich der Name? Enten, Schnepfen, Bekassinen. Es überkommt einen eine Lust, daß man's auch so gut haben möchte. Nur einsam muß es hier sein, zu einsam.«

Der Wirt lächelte vor sich hin, und Botho, dem es nicht entging, wurde neugierig und sagte: »Sie lächeln. Aber ist es nicht so? Seit einer halben Stunde hör' ich nichts als das Wasser, das unter dem Steg hingluckst, und in diesem Augenblick oben den Reiherschrei. Das nenn' ich einsam, so hübsch es ist. Und dann und wann ziehen ein paar große Spreekähne vorüber, aber alle sind einander gleich oder sehen sich wenigstens ähnlich. Und eigentlich ist jeder wie ein Gespensterschiff. Eine wahre Totenstille.«

»Gewiß«, sagte der Wirt. »Aber doch alles nur, solange es dauert.«

»Wie das?«

»Ja«, wiederholte der Gefragte, »solange es dauert. Sie sprechen von Einsamkeit, Herr Baron, und tagelang ist es auch wirklich einsam hier. Und es können auch Wochen werden. Aber kaum, daß das Eis bricht und das Frühjahr kommt, so kommt auch schon Besuch, und der Berliner ist da.«

»Wann kommt er?«

»Unglaublich früh. Okuli, da kommen sie. Sehen Sie, Herr Baron, wenn ich, der ich doch ausgewettert bin, immer noch drin in der Stube bleibe, weil der Ostwind pustet und die Märzensonne sticht, setzt sich der Berliner schon ins Freie, legt seinen Sommerüberzieher über den Stuhl und bestellt eine Weiße. Denn sowie nur die Sonne scheint, spricht der Berliner von schönem Wetter. Ob in jedem Windzug eine Lungenentzündung oder Diphtheritis sitzt, ist ihm egal. Er spielt dann am liebsten mit Reifen; einige sind auch für Boccia, und wenn sie dann abfahren, ganz gedunsen von der Prallsonne, dann tut mir mitunter das Herz weh, denn keiner ist darunter, dem nicht wenigstens am andern Tage die Haut abschülbert.«

Botho lachte. »Ja, die Berliner! Wobei mir übrigens einfällt, Ihre Spree hier herum muß ja auch die Gegend sein, wo die Ruderer und Segler zusammenkommen und ihre Regatten haben.«

»Gewiß«, sagte der Wirt. »Aber das will nicht viel sagen. Wenn's viele sind, dann sind es fünfzig oder vielleicht auch mal hundert. Und dann ruht es wieder und ist auf Wochen und Monate hin mit dem ganzen Wassersport vorbei. Nein, die Klubleute, das ist vergleichsweise bequem, das ist zum Aushalten. Aber wenn dann im Juni die Dampfschiffe kommen, dann ist es schlimm. Und dann bleibt es so den ganzen Sommer über oder doch eine lange, lange Weile.« – »Glaub's«, sagte Botho.

»...Dann trifft jeden Abend ein Telegramm ein. ›Morgen früh neun Uhr Ankunft auf Spreedampfer Alsen. Tagespartie. 240 Personen.‹ Und dann folgen die Namen derer, die's arrangiert haben. Einmal geht das. Aber die Länge hat die Qual. Denn wie verläuft eine solche Partie? Bis Dunkelwerden sind sie draußen in Wald und Wiese, dann aber kommt das Abendbrot, und dann tanzen sie bis um elf. Nun werden Sie sagen, ›das ist nichts Großes‹, und wär auch nichts Großes, wenn der andre Tag ein Ruhetag wär. Aber der zweite Tag ist wie der erste, und der dritte ist wie der zweite. Jeden Abend um elf dampft ein Dampfer mit 240 Personen ab, und jeden Morgen um neun ist ein Dampfer mit ebensoviel Personen wieder da. Und inzwischen muß doch aufgeräumt und alles wieder klar gemacht werden. Und so vergeht die Nacht mit Lüften, Putzen und Scheuern, und wenn die letzte Klinke wieder blank ist, ist auch das nächste Schiff schon wieder heran. Natürlich hat alles auch sein Gutes, und wenn man um Mitternacht Kasse zählt, so weiß man, wofür man sich gequält hat. ›Von nichts kommt nichts‹, sagt das Sprichwort und hat auch ganz recht, und wenn ich all die Maibowlen auffüllen sollte, die hier schon getrunken sind, so müßt ich mir ein Heidelberger Faß anschaffen. Es bringt was ein, gewiß, und ist alles schön und gut. Aber dafür, daß man vorwärtskommt, kommt man doch auch rückwärts und bezahlt mit dem Besten, was man hat, mit Leben und Gesundheit. Denn was ist Leben ohne Schlaf?«

»Wohl, ich sehe schon«, sagte Botho, »kein Glück ist vollkommen. Aber dann kommt der Winter, und dann schlafen Sie wie sieben Dächse.«

»Ja, wenn nicht gerade Silvester oder Dreikönigstag oder Fastnacht ist. Und die sind öfter, als der Kalender angibt. Da sollten Sie das Leben hier sehen, wenn sie, von zehn Dörfern her, zu Schlitten oder Schlittschuh, in dem großen Saal, den ich angebaut habe, zusammenkommen. Dann sieht man kein großstädtisch Gesicht mehr, und die Berliner lassen einen in Ruh, aber der Großknecht und die Jungemagd, die haben dann ihren Tag. Da sieht man Otterfellmützen und Manchesterjacken mit silbernen Buckelknöpfen, und allerlei Soldaten, die grad auf Urlaub sind, sind mit dabei: Schwedter Dragoner und Fürstenwalder Ulanen, oder wohl gar Potsdamer Husaren. Und alles ist eifersüchtig und streitlustig, und man weiß nicht, was ihnen lieber ist, das Tanzen oder das Krakeelen, und bei dem kleinsten Anlaß stehen die Dörfer gegeneinander und liefern sich ihre Bataillen. Und so toben und lärmen sie die ganze Nacht durch, und ganze Pfannkuchenberge verschwinden, und erst bei Morgengrauen geht es über das Stromeis oder den Schnee hin wieder nach Hause.«

»Da seh' ich freilich«, sagte Botho, »daß sich von Einsamkeit und Totenstille nicht gut sprechen läßt. Ein Glück nur, daß ich von dem allen nicht gewußt habe, sonst hätt' ich gar nicht den Mut gehabt und wäre fortgeblieben. Und das wäre mir doch leid gewesen, einen so hübschen Fleck Erde gar nicht gesehen zu haben... Aber Sie sagten vorhin, ›was ist Leben ohne Schlaf‹, und ich fühle, daß Sie recht haben. Ich bin müde trotz früher Stunde; das macht, glaub' ich, die Luft und das Wasser. Und dann muß ich doch auch sehn...Ihre liebe Frau hat sich so bemüht...Gute Nacht, Herr Wirt. Ich habe mich verplaudert.«

Und damit stand er auf und ging auf das still gewordene Haus zu. Lene, die Füße schräg auf dem herangerückten Stuhl, hatte sich aufs Bett gelegt und eine Tasse von dem Tee getrunken, den ihr die Wirtin gebracht hatte. Die Ruhe, die Wärme taten ihr wohl, der Anfall ging vorüber, und sie hätte schon nach kurzer Zeit wieder in die Veranda hinuntergehen und an dem Gespräche, das Botho mit dem Wirte führte, teilnehmen können. Aber ihr war nicht gesprächig zu Sinn, und so stand sie nur auf, um sich in dem Zimmer umzusehen, für das sie bis dahin kein Auge gehabt hatte.

Und wohl verlohnte sich's. Die Balkenlagen und Lehmwände hatte man aus alter Zeit her fortbestehen lassen, und die geweißte Decke hing so tief herab, daß man sie mit dem Finger berühren konnte; was aber zu bessern gewesen war, das war auch wirklich gebessert worden. An Stelle der kleinen Scheiben, die man im Erdgeschoß noch sah, war hier oben ein großes, bis fast auf die Diele reichendes Fenster eingesetzt worden, das ganz so, wie der Wirt es geschildert, einen prächtigen Blick auf die gesamte Wald- und Wasserszenerie gestattete. Das große Spiegelfenster war aber nicht alles, was Neuzeit und Komfort hier getan hatten. Auch ein paar gute Bilder, mutmaßlich auf einer Auktion erstanden, hingen an den alten, überall Buckel und Blasen bildenden Lehmwänden umher, und just da, wo der vorgebaute Fenstergiebel nach hinten oder, was dasselbe sagen will, nach dem eigentlichen Zimmer zu die Dachschrägung traf, standen sich ein paar elegante Toilettentische gegenüber. Alles zeigte, daß man die Fischer- und Schifferherberge mit Geflissentlichkeit beibehalten, aber sie doch zugleich auch in ein gefälliges Gasthaus für die reichen Sportsleute vom Segler- und Ruderklub umgewandelt hatte.

Lene fand sich angeheimelt von allem, was sie sah, und begann zunächst die rechts und links in breiter Umrahmung über den Bettständen hängenden Bilder zu betrachten. Es waren Stiche, die sie, dem Gegenstande nach, lebhaft interessierten, und so wollte sie gerne wissen, was es mit den Unterschriften auf sich habe. »Washington crossing the Delaware« stand unter dem einen, »The last hour at Trafalgar« unter dem andern. Aber sie kam über ein bloßes Silbenentziffern nicht hinaus, und das gab ihr, so klein die Sache war, einen Stich ins Herz, weil sie sich der Kluft dabei bewußt wurde, die sie von Botho trennte. Der spöttelte freilich über Wissen und Bildung, aber sie war klug genug, um zu fühlen, was von diesem Spotte zu halten war.

Dicht neben der Eingangstür, über einem Rokokotisch, auf dem rote Gläser und eine Wasserkaraffe standen, hing noch eine buntfarbige, mit einer dreisprachigen Unterschrift versehene Lithographie:

»Si jeunesse savait« – ein Bild, das sie sich entsann), in der Dörrschen Wohnung gesehen zu haben. Dörr liebte dergleichen. Als sie's hier wiedersah, fuhr sie verstimmt zusammen. Ihre feine Sinnlichkeit fühlte sich von dem Lüsternen in dem Bilde wie von einer Verzerrung ihres eigenen Gefühls beleidigt, und so ging sie denn, den Eindruck wieder loszuwerden, bis an das Giebelfenster und öffnete beide Flügel, um die Nachtluft einzulassen. Ach, wie sie das erquickte! Dabei setzte sie sich auf das Fensterbrett, das nur zwei Handbreit über der Diele war, schlang ihren linken Arm um das Kreuzholz und horchte nach der nicht allzu entfernten Veranda hinüber. Aber sie vernahm nichts. Eine tiefe Stille herrschte; nur in der alten Ulme ging ein Wehen und Rauschen, und alles, was eben noch von Verstimmung in ihrer Seele geruht haben mochte, das schwand jetzt hin, als sie den Blick immer eindringlicher und immer entzückter auf das vor ihr ausgebreitete Bild richtete. Das Wasser flutete leise, der Wald und die Wiese lagen im abendlichen Dämmer, und der Mond, der eben wieder seinen ersten Sichelstreifen zeigte, warf einen Lichtschein über den Strom und ließ das Zittern seiner kleinen Wellen erkennen.

»Wie schön«, sagte Lene hochaufatmend. »Und ich bin doch glücklich«, setzte sie hinzu.

Sie mochte sich nicht trennen von dem Bilde. Zuletzt aber erhob sie sich, schob einen Stuhl vor den Spiegel und begann ihr schönes Haar zu lösen und wieder einzuflechten. Als sie noch damit beschäftigt war, kam Botho.

»Lene, noch auf! Ich dachte, daß ich dich mit einem Kusse wecken müßte.«

»Dazu kommst du zu früh, so spät du kommst.«

Und sie stand auf und ging ihm entgegen. »Mein einziger Botho. Wie lange du bleibst...«

»Und das Fieber? Und der Anfall?«

»Ist vorüber, und ich bin wieder munter, seit einer halben Stunde schon. Und ebenso lange hab' ich dich erwartet.« Und sie zog ihn mit sich fort an das noch offenstehende Fenster: »Sieh nur! Ein armes Menschenherz, soll ihm keine Sehnsucht kommen bei solchem Anblick?«

Und sie schmiegte sich an ihn und blickte, während sie die Augen schloß, mit einem Ausdruck höchsten Glückes zu ihm auf.

Dreizehntes Kapitel

Beide waren früh auf, und die Sonne kämpfte noch mit dem Morgen-
nebel, als sie schon die Stiege herabkamen, um unten ihr Frühstück
zu nehmen. Ein leiser Wind ging, eine Frühbrise, die die Schiffer
nicht gern ungenutzt lassen, und so glitt denn auch, als unser junges
Paar eben ins Freie trat, eine ganze Flottille von Spreekähnen an ihnen vorüber.

Lene war noch in ihrem Morgenanzuge. Sie nahm Bothos Arm
und schlenderte mit ihm am Ufer entlang an einer Stelle hin, die hoch
in Schilf und Binsen stand. Er sah sie zärtlich an. »Lene, du siehst ja
aus, wie ich dich noch gar nicht gesehen habe. Ja, wie sag' ich nur?
Ich finde kein anderes Wort: du siehst so glücklich aus.«

Und so war es. Ja, sie war glücklich, ganz glücklich und sah die
Welt in einem rosigen Lichte. Sie hatte den besten, den liebsten
Mann am Arm und genoß eine kostbare Stunde. War das nicht genug? Und wenn diese Stunde die letzte war, nun, so war sie die
letzte. War es nicht schon ein Vorzug, einen solchen Tag durchleben
zu können? Und wenn es auch nur einmal, ein einzig Mal.

So schwanden ihr alle Betrachtungen von Leid und Sorge, die
sonst wohl, ihr selbst zum Trotz, ihre Seele bedrückten, und alles,
was sie fühlte, war Stolz, Freude, Dank. Aber sie sagte nichts; sie
war abergläubisch und wollte das Glück nicht bereden, und nur an
einem leisen Zittern ihres Armes gewahrte Botho, wie das Wort:
»Ich glaube, du bist glücklich, Lene«, ihr das innerste Herz getroffen hatte.

Der Wirt kam und erkundigte sich artig, wenn auch mit einem
Anfluge von Verlegenheit, nach ihrer Nachtruhe.

»Vorzüglich«, sagte Botho. »Der Melissentee, den Ihre liebe Frau
verordnet, hat wahre Wunder getan, und die Mondsichel, die uns
gerade ins Fenster schien, und die Nachtigallen, die leise schlugen,
so leise, daß man sie nur eben noch hören konnte, ja, wer wollte da
nicht schlafen wie im Paradiese? Hoffentlich wird sich kein Spreedampfer mit zweihundertvierzig Gästen für heute nachmittag angemeldet haben. Das wäre dann freilich die Vertreibung aus dem Paradiese. Sie lächeln und denken: ›Wer weiß?‹ und vielleicht hab' ich mit
meinen Worten den Teufel schon an die Wand gemalt. Aber noch ist
er nicht da, noch seh' ich keinen Schlot und keine Rauchfahne, noch
ist die Spree rein, und wenn auch ganz Berlin schon unterwegs wäre,
das Frühstück wenigstens können wir noch in Ruhe nehmen. Nicht
wahr? Aber wo?«

»Die Herrschaften haben zu befehlen.«

»Nun, dann denk' ich unter der Ulme. Die Halle, so schön sie ist, ist doch nur gut, wenn draußen die Sonne brennt. Und sie brennt noch nicht und hat noch drüben am Walde mit dem Nebel zu tun.«

Der Wirt ging, das Frühstück anzuordnen; das junge Paar aber setzte seinen Spaziergang fort bis nach einer diesseitigen Landzunge hin, von der aus sie die roten Dächer eines Nachbardorfes und rechts daneben den spitzen Kirchturm von Königswusterhausen erkennen konnten. Am Rande der Landzunge lag ein angetriebener Weidenstamm. Auf diesen setzten sie sich und sahen von ihm aus zwei Fischerleuten zu, Mann und Frau, die das umstehende Rohr schnitten und die großen Bündel in ihren Prahm warfen. Es war ein hübsches Bild, an dem sie sich erfreuten, und als sie nach einer Weile wieder zurück waren, wurde das Frühstück eben aufgetragen, mehr ein englisches als ein deutsches: Kaffee und Tee, samt Eiern und Fleisch und in einem silbernen Ständer sogar Schnittchen von geröstetem Weißbrot.

»Ah, schau, Lene. Hier müssen wir öfter unser Frühstück nehmen. Was meinst du? Himmlisch! Und sieh nur drüben auf der Werft, da kalfatern sie schon wieder und geht ordentlich im Takt. Wahrhaftig, solch Arbeits-Taktschlag ist doch eigentlich die schönste Musik.«

Lene nickte, war aber nur halb dabei, denn ihr Interesse galt auch heute wieder dem Wassersteg, freilich nicht den angeketteten Booten, die gestern ihre Passion geweckt hatten, wohl aber einer hübschen Magd, die mitten auf dem Brettergange neben ihrem Küchen- und Kupfergeschirr kniete. Mit einer herzlichen Arbeitslust, die sich in jeder Bewegung ihrer Arme ausdrückte, scheuerte sie die Kanne, Kessel und Kasserollen, und immer, wenn sie fertig war, ließ sie das plätschernde Wasser das blankgescheuerte Stück umspülen. Dann hob sie's in die Höh, ließ es einen Augenblick in der Sonne blitzen und tat es in einen nebenstehenden Korb.

Lene war wie benommen von dem Bild. »Sieh nur«, und sie wies auf die hübsche Person, die sich, so schien es, in ihrer Arbeit gar nicht genugtun konnte.

»Weißt du, Botho, das ist kein Zufall, daß sie da kniet; sie kniet da für mich, und ich fühle deutlich, daß es mir ein Zeichen ist und eine Fügung.«

»Aber was ist dir nur, Lene? Du veränderst dich ja, du bist ja mit einem Male ganz blaß geworden.«

»Oh, nichts.«

»Nichts? Und hast doch einen Flimmer im Auge, wie wenn dir das Weinen näher wäre als das Lachen. Du wirst doch schon Kupfergeschirr gesehen haben und auch eine Köchin, die's blank scheuert. Es ist ja fast, als ob du das Mädchen beneidest, daß sie da kniet und arbeitet wie für drei.«

Das Erscheinen des Wirts unterbrach hier das Gespräch, und Lene gewann ihre ruhige Haltung und bald auch ihren Frohmut wieder. Dann aber ging sie hinauf, um sich umzukleiden.

Als sie wiederkam, fand sie, daß inzwischen ein vom Wirt aufgestelltes Programm von Botho bedingungslos angenommen war: ein Segelboot sollte das junge Paar nach dem nächsten Dorfe, dem reizend an der wendischen Spree gelegenen Nieder-Löhme, bringen, von welchem Dorf aus sie den Weg bis Königswusterhausen zu Fuß machen, daselbst Park und Schloß besuchen und dann auf demselben Wege zurückkommen wollten. Es war eine Halbtagspartie. Über den Nachmittag ließ sich dann weiter verfügen.

Lene war es zufrieden, und schon wurden ein paar Decken in das rasch instand gesetzte Boot getragen, als man vom Garten her Stimmen und herrliches Lachen hörte, was auf Besuch zu deuten und eine Störung ihrer Einsamkeit in Aussicht zu stellen schien.

»Ah, Segler und Ruderklubleute«, sagte Botho. »Gott sei Dank, daß wir ihnen entgehen, Lene. Laß uns eilen!«

Und beide brachen auf, um so rasch wie möglich ins Boot zu kommen. Aber ehe sie noch den Wassersteg erreichen konnten, sahen sie sich bereits umstellt und eingefangen. Es waren Kameraden und noch dazu die intimsten: Pitt, Serge, Balafré. Alle drei mit ihren Damen.

»Ah les beaux esprits se rencontrent«, sagte Balafré voll übermütiger Laune, die jedoch rasch einer gesetzteren Haltung wich, als er wahrnahm, daß er von der Hausschwelle her, auf der Wirt und Wirtin standen, beobachtet wurde. »Welche glückliche Begegnung an dieser Stelle. Gestatten Sie mir, Gaston, Ihnen unsere Damen vorstellen zu dürfen: Königin Isabeau, Fräulein Johanna, Fräulein Margot.«

Botho sah, welche Parole heute galt, und sich rasch hineinfindend, entgegnete er, nunmehr auch seinerseits vorstellend mit leichter Handbewegung auf Lene: »Mademoiselle Agnes Sorel.«

Alle drei Herren verneigten sich artig, ja dem Anscheine nach sogar respektvoll, während die beiden Töchter Thibaut d'Arcs einen überaus kurzen Knix machten und der um wenigstens fünfzehn Jahre älteren Königin Isabeau eine freundlichere Begrüßung der ih-

nen unbekannten und sichtlich unbequemen Agnes Sorel überlie-
ßen.

Das Ganze war eine Störung, vielleicht sogar eine geplante; je
mehr dies aber zutreffen mochte, desto mehr gebot es sich, gute
Miene zum bösen Spiel zu machen. Und dies gelang Botho vollkommen. Er stellte Fragen über Fragen und erfuhr bei der Gelegenheit,
daß man, zu früher Stunde schon, mit einem der kleineren Spreedampfer bis Schmöckwitz und von dort aus mit einem Segelboot bis
Zeuthen gefahren sei. Von Zeuthen aus habe man den Weg zu Fuß
gemacht, keine zwanzig Minuten; es sei reizend gewesen: alte
Bäume, Wiesen und rote Dächer.

Während der gesamte neue Zuzug, besonders aber die wohlarron-
dierte Königin Isabeau, die sich beinah mehr noch durch Sprechfä-
higkeit als durch Abrundung auszeichnete, diese Mitteilungen
machte, hatte man, zwanglos promenierend, die Veranda erreicht,
wo man an einem der langen Tische Platz nahm.

»Allerliebst«, sagte Serge. »Weit, frei und offen, und doch so ver-
schwiegen. Und die Wiese drüben wie geschaffen für eine Mondscheinpromenade.«

»Ja«, setzte Balafré hinzu, »Mondscheinpromenade. Hübsch,
sehr hübsch. Aber wir haben erst zehn Uhr früh, macht bis zur
Mondscheinpromenade runde zwölf Stunden, die doch unterge-
bracht sein wollen. Ich proponiere Wasserkorso.«

»Nein«, sagte Isabeau, »Wasserkorso geht nicht; davon haben wir
heute schon über und über gehabt. Erst Dampfschiff, dann Boot und
nun wieder Boot, das ist zuviel. Ich bin dagegen. Überhaupt, ich be-
greife nicht, was dies ewige Pätscheln soll; dann fehlt bloß noch, daß
wir angeln oder die Ykleis mit der Hand greifen und uns über die
kleinen Biester freuen. Nein, gepätschelt wird heute nicht mehr.
Darum muß ich sehr bitten.«

Die Herren, an die sich die Worte richteten, amüsierten sich ersichtlich über die Dezidiertheit der Königinmutter und machten sofort andere Vorschläge, deren Schicksal aber dasselbe war. Isabeau
verwarf alles und bat, als man schließlich ihr Gebaren halb in Scherz
und halb in Ernst zu mißbilligen anfing, einfach um Ruhe. »Meine
Herren«, sagte sie, »Geduld. Ich bitte, mir wenigstens einen Augenblick das Wort zu gönnen.« Ironischer Beifall antwortete, denn nur
sie hatte bis dahin gesprochen. Aber unbekümmert darum fuhr sie
fort: »Meine Herren, ich bitte Sie, lehren Sie mich die Herrens kennen. Was heißt Landpartie? Landpartie heißt frühstücken und ein
Jeu machen. Hab' ich recht?«

»Isabeau hat immer recht«, lachte Balafré und gab ihr einen Schlag auf die Schulter. »Wir machen ein Jeu. Der Platz hier ist kapital; ich glaube beinah, jeder muß hier gewinnen. Und die Damen promenieren derweilen oder machen vielleicht ein Vormittagsschläfchen. Das soll das Gesundeste sein, und anderthalb Stunden wird ja wohl ausreichen. Und um zwölf Uhr Réunion. Menü nach dem Ermessen unserer Königin. Ja, Königin, das Leben ist doch schön. Zwar aus Don Carlos. Aber muß denn alles aus der ›Jungfrau‹ sein?«

Das schlug ein, und die zwei jüngeren kicherten, obwohl sie bloß das Stichwort verstanden hatten. Isabeau dagegen, die bei solcher antippenden und beständig in kleinen Anzüglichkeiten sich ergehenden Sprache groß geworden war, blieb vollkommen würdevoll und sagte, während sie sich zu den drei anderen Damen wandte: »Meine Damen, wenn ich bitten darf: wir sind entlassen und haben zwei Stunden für uns. Übrigens nicht das Schlimmste.«

Damit erhoben sie sich und gingen auf das Haus zu, wo die Königin in die Küche trat und unter freundlichem, aber doch überlegenem Gruße nach dem Wirte fragte. Dieser war nicht zugegen, weshalb die junge Frau versprach, ihn aus dem Garten abrufen zu wollen; Isabeau aber litt es nicht, »sie werde selber gehn«, und ging auch wirklich, immer gefolgt von ihrem Drei-Damen-Kortege (Balafré sprach von Klucke mit Küken), nach dem Garten hinaus, wo sie den Wirt bei der Anlage neuer Spargelbeete traf. Unmittelbar daneben lag ein altmodisches Treibhaus, vorne ganz niedrig, mit großem schrägliegenden Fenstern, auf dessen etwas abgebröckeltes Mauerwerk sich Lene samt den Töchtern Thibaut d'Arcs setzte, während Isabeau die Verhandlungen leitete.

»Wir kommen, Herr Wirt, um wegen des Mittagbrots mit Ihnen zu sprechen. Was können wir haben?«

»Alles, was die Herrschaften befehlen.«

»Alles? Das ist viel, beinah zuviel. Nun, dann bin ich für Aal. Aber nicht so, sondern so.« Und sie wies, während sie das sagte, von ihrem Fingerring auf das breite, dicht anliegende Armband.

»Tut mir leid, meine Damen«, erwiderte der Wirt. »Aal is nicht. Überhaupt Fisch; damit kann ich nicht dienen; der ist Ausnahme. Gestern hatten wir Schlei mit Dill, aber der war aus Berlin. Wenn ich Fisch haben will, muß ich ihn vom Köllnischen Fischmarkt holen.«

»Schade. Da hätten wir einen mitbringen können. Aber was dann?« – »Einen Rehrücken.«

»Hm, das läßt sich hören. Und vorher etwas Gemüse. Spargel ist schon eigentlich zu spät, oder doch beinah. Aber Sie haben da, wie ich sehe, noch junge Bohnen. Und hier in dem Mistbeet wird sich ja wohl auch noch etwas finden lassen, ein paar Gurken oder ein paar Rapunzeln. Und dann eine süße Speise. So was mit Schlagsahne. Mir persönlich liegt nicht daran, aber die Herren, die beständig so tun, als machten sie sich nichts daraus, sie sind immer fürs Süße. Also drei, vier Gänge, denk ich. Und dann Butterbrot und Käse.«

»Und bis wann befehlen die Herrschaften?«

»Nun, ich denke bald, oder doch wenigstens so bald wie möglich. Nicht wahr? Wir sind hungrig, und wenn der Rehrücken eine halbe Stunde Feuer hat, hat er genug. Also sagen wir: um zwölf. Und wenn ich bitten darf, eine Bowle: ein Rheinwein, drei Mosel, drei Champagner. Aber gute Marke. Glauben Sie nicht, daß sich's vertut. Ich kenne das und schmecke heraus, ob Moët oder Mumm. Aber Sie werden schon machen; ich darf sagen, Sie flößen mir ein Vertrauen ein. Apropos, können wir nicht aus Ihrem Garten gleich in den Wald? Ich hasse jeden unnützen Schritt. Und vielleicht finden wir noch Champignons. Das wäre himmlisch. Die können dann noch an den Rehrücken: Champignons verderben nie was.«

Der Wirt bejahte nicht bloß die hinsichtlich des bequemeren Weges gestellte Frage, sondern begleitete die Damen auch persönlich bis an die Gartenpforte, von der aus man bis zur Waldlisiere nur ein paar Schritte hatte. Bloß eine chaussierte Straße lief dazwischen. Als diese passiert war, war man drüben im Waldesschatten, und Isabeau, die stark unter der immer größer werdenden Hitze litt, pries sich glücklich, den verhältnismäßig weiten Umweg über ein baumloses Stück Grasland vermieden zu haben. Sie machte den eleganten, aber mit einem großen Fettfleck ausstaffierten Sonnenschirm zu, hing ihn an ihren Gürtel und nahm Lenens Arm, während die beiden andern Damen folgten. Isabeau war augenscheinlich in bester Stimmung und sagte, sich umwendend, zu Margot und Johanna: »Wir müssen aber doch ein Ziel haben. So bloß Wald und wieder Wald is eigentlich schrecklich. Was meinen Sie, Johanna?«

Johanna war die größere von den beiden d'Arcs, sehr hübsch, etwas blaß und mit raffinierter Einfachheit gekleidet. Serge hielt darauf. Ihre Handschuhe saßen wundervoll, und man hätte sie für eine Dame halten können, wenn sie nicht, während Isabeau mit dem Wirte sprach, den einen Handschuhknopf, der aufgesprungen war, mit den Zähnen wieder zugeknöpft hätte.

»Was meinen Sie, Johanna?« wiederholte die Königin ihre Frage.

»Nun, dann schlag' ich vor, daß wir nach dem Dorfe zurückge-

hen, von dem wir gekommen sind. Es hieß ja wohl Zeuthen und sah
so romantisch und so melancholisch aus, und war ein so hübscher
Weg hierher. Und zurück muß er eigentlich ebenso hübsch sein oder
vielleicht noch hübscher. Und an der rechten, das heißt also von hier
aus an der linken Seite, war ein Kirchhof mit lauter Kreuzen drauf.
Und ein sehr großes von Marmor.«

»Ja, liebe Johanna, das ist alles ganz gut, aber was sollen wir damit? Wir haben ja den Weg gesehen. Oder wollen Sie den Kirchhof...?«

»Freilich will ich. Ich habe da so meine Gefühle, besonders an solchem Tage wie heute. Und es ist immer gut, sich zu erinnern, daß
man sterben muß. Und wenn dann der Flieder so blüht...«

»Aber, Johanna, der Flieder blüht ja gar nicht mehr, höchstens
noch der Goldregen, und der hat eigentlich auch schon Schoten. Du
meine Güte, wenn Sie so partout für Kirchhöfe sind, so können Sie
sich ja den in der Oranienstraße jeden Tag ansehen. Aber ich weiß
schon, mit Ihnen ist nicht zu reden. Zeuthen und Kirchhof, alles
Unsinn. Da bleiben wir doch lieber hier und sehen gar nichts. Kommen Sie, Kleine, geben Sie mir Ihren Arm wieder!«

Die Kleine, die durchaus nicht klein war, war Lene. Sie gehorchte.
Die Königin aber fuhr jetzt, indem sie wieder voraufging, in vertrau-
lichem Tone fort: »Ach diese Johanna, man kann eigentlich nicht
mit ihr umgehen; sie hat keinen guten Ruf und is eine Gans. Ach,
Kind, Sie glauben gar nicht, was jetzt alles so mitläuft; nu ja, sie hat
'ne hübsche Figur und hält auf ihre Handschuhe. Aber sie sollte lieber auf was andres halten. Und sehen Sie, die, die so sind, die reden
immer von Sterben und Kirchhof. Und nun sollen Sie sie nachher sehen! Solange es so geht, geht es. Aber wenn dann die Bowle kommt
und wieder leer is und wiederkommt, dann quietscht und johlt sie.
Keine Idee von Anstand. Aber wo soll es auch herkommen? Sie war
immer bloß bei kleinen Leuten, draußen auf der Chaussee nach Tegel, wo kein Mensch recht hinkommt und bloß mal Artillerie vorbei-
fährt. Und Artillerie...Nu ja...Sie glauben gar nicht, wie verschieden das alles ist. Und nun hat sie der Serge da rausgenommen und
will was aus ihr machen. Ja, du meine Güte, so geht das nicht, oder
wenigstens nicht so flink; gut Ding will Weile haben. Aber da sind ja
noch Erdbeeren. Ei, das ist nett! Kommen Sie, Kleine, wir wollen
welche pflücken (wenn nur das verdammte Bücken nicht wär), und
wenn wir eine recht große finden, dann wollen wir sie mitnehmen.
Die steck ich ihm dann in den Mund, und dann freut er sich. Denn

Sie müssen wissen, er ist ein Mann wie 'n Kind und eigentlich der Beste.«

Lene, die wohl merkte, daß es sich um Balafré handelte, tat ein paar Fragen und frug unter anderm auch wieder, warum die Herren eigentlich die sonderbaren Namen hätten. Sie habe schon früher danach gefragt, aber nie was gehört, was der Rede wert gewesen wäre.

»Jott«, sagte die Königin, »es soll so was sein und soll keiner was merken und is doch alles bloß Ziererei. Denn erstens kümmert sich keiner drum, und wenn sich einer drum kümmert, is es auch noch so. Und warum auch? Wen soll es denn schaden? Sie haben sich alle nichts vorzuwerfen' und einer ist wie der andre.«

Lene sah vor sich hin und schwieg.

»Und eigentlich, Kind, und Sie werden das auch noch sehn, eigentlich is es alles bloß langweilig. Eine Weile geht es, und ich will nichts dagegen sagen und will's auch nicht abschwören. Aber die Länge hat die Last. So von fuffzehn an und noch nich mal eingesegnet. Wahrhaftig, je bälder man wieder raus ist, desto besser. Ich kaufe mir denn (denn das Geld krieg' ich) ne Dest'lation und weiß auch schon, wo, und denn heirat' ich mir einen Wittmann und weiß auch schon, wen. Und er will auch. Denn das muß ich Ihnen sagen, ich bin für Ordnung und Anständigkeit, und die Kinder orntlich erziehn, und ob es seine sind oder meine, is janz egal... Und wie is es denn eigentlich mit Ihnen?«

Lene sagte kein Wort.

»Jott, Kind, Sie verfärben sich ja; Sie sind woll am Ende mit *hier* dabei (und sie wies aufs Herz) und tun alles aus Liebe? Ja, Kind, *denn* is es schlimm, denn gibt es 'nen Kladderadatsch.«

Johanna folgte mit Margot. Sie blieben absichtlich etwas zurück und brachen sich Birkenreiser ab, wie wenn sie vorhätten, einen Kranz daraus zu flechten. »Wie gefällt sie dir denn?« sagte Margot. »Ich meine die von Gaston.«

»Gefallen? Gar nich. Das fehlt auch noch, daß solche mitspielen und in Mode kommen! Sieh doch nur, wie ihr die Handschuhe sitzen. Und mit dem Hut is auch nicht viel. Er dürfte sie gar nicht so gehn lassen. Und sie muß auch dumm sein, sie spricht ja kein Wort.«

»Nein«, sagte Margot, »dumm ist sie nicht; sie hat's bloß noch nich weg. Und daß sie sich gleich an die gute Dicke ranmacht, das is doch auch klug genug.«

»Ach, die gute Dicke. Geh mir mit *der*! Die denkt, sie is es. Aber es is gar nichts mit ihr. Ich will ihr sonst nichts nachsagen, aber falsch ist sie, falsch wie Galgenholz.«

»Nein, Johanna, falsch is sie nu grade nich. Und sie hat dir auch öfter aus der Patsche geholfen. Du weißt schon, was ich meine.«

»Gott, warum? Weil sie selber mit drinsaß, und weil sie sich ewig ziert und wichtig tut. Wer so dick ist, ist nie gut.«

»Jott, Johanna, was du nur redst. Umgekehrt is es, die Dicken sind immer gut.«

»Na meinetwegen. Aber das kannst du nicht bestreiten, daß sie 'ne lächerliche Figur macht. Sieh doch nur, wie sie dahinwatschelt; wie 'ne Fettente. Und immer bis oben ran zu, bloß weil sie sich sonst vor anständigen Leuten gar nicht sehen lassen kann. Und Margot, das laß ich mir nicht nehmen, ein bißchen schlanke Figur ist doch die Hauptsache. Wir sind doch noch keine Türken. Und warum wollte sie nicht mit auf den Kirchhof? Weil sie sich jrault? I bewahre, sie denkt nich dran, bloß weil sie sich wieder eingeknallt hat und es vor Hitze nicht aushalten kann. Und is eigentlich nich mal so furchtbar heiß heute.«

So gingen die Gespräche, bis sich die beiden Paare schließlich wieder vereinigten und auf einen mit Moos bewachsenen Grabenrand setzten.

Isabeau sah öfter nach der Uhr; der Zeiger wollte nicht recht vom Fleck.

Als es aber halb zwölf war, sagte sie: »Nun, meine Damen, ist es Zeit; ich denke, wir haben jetzt gerade genug Natur gehabt und können mit Fug und Recht zu was andrem übergehen. Seit heute früh um sieben eigentlich keinen Bissen. Denn die Grünauer Schinkenstulle kann ich doch nicht rechnen... Aber Gott sei Dank, alles Entsagen, sagt Balafré, hat seinen Lohn in sich, und Hunger ist der beste Koch. Kommen Sie, meine Damen, der Rehrücken fängt an wichtiger zu werden als alles andre. Nicht wahr, Johanna?«

Diese gefiel sich in einem Achselzucken und suchte die Zumutung, als ob Dinge wie Rehrücken und Bowle je Gewicht für sie haben könnten, entschieden abzulehnen.

Isabeau aber lachte. »Nun, wir werden ja sehn, Johanna. Freilich, der Zeuthner Kirchhof wäre besser gewesen. Aber man muß nehmen, was man hat.«

Und damit brachen allesamt auf, um aus dem Wald in den Garten und aus diesem, drin sich ein paar Zitronenvögel eben haschten, bis in die Front des Hauses, wo gegessen werden sollte, zurückzukehren.

Im Vorübergehen an der Gaststube sah Isabeau den mit dem Umstülpen einer Moselweinflasche beschäftigten Wirt.

»Schade«, sagte sie, »daß ich grade das sehen mußte. Das Schicksal hätte mir auch einen besseren Anblick gönnen können. Warum gerade Mosel?«

Vierzehntes Kapitel

Eine rechte Heiterkeit hatte nach diesem Spaziergange trotz aller von Isabeau gemachten Anstrengungen nicht mehr aufkommen wollen; was aber, wenigstens für Botho und Lene, das Schlimmere war, war das, daß diese Heiterkeit auch ausblieb, als sich beide von den Kameraden und ihren Damen verabschiedet und ganz allein, in einem nur von ihnen besetzten Coupé, die Rückfahrt angetreten hatten. Eine Stunde später waren sie, ziemlich herabgestimmt, auf dem trübselig erleuchteten Görlitzer Bahnhof eingetroffen, und hier, beim Aussteigen, hatte Lene sofort und mit einer Art Dringlichkeit gebeten, sie den Weg durch die Stadt hin allein machen zu lassen: sie seien ermüdet und abgespannt, und das tue nicht gut; Botho aber war von dem, was er als schuldige Rücksicht und Kavalierspflicht ansah, nicht abzubringen gewesen, und so hatten sie denn in einer klapprigen alten Droschke die lange, lange Fahrt am Kanal hin gemeinschaftlich gemacht, immer bemüht, ein Gespräch über die Partie, und wie »hübsch sie gewesen sei«, zustande zu bringen - eine schreckliche Zwangsunterhaltung, bei der Botho nur zu sehr gefühlt hatte, wie richtig Lenes Empfindung gewesen war, als sie von dieser Begleitung in beinahe beschwörendem Tone nichts hatte wissen wollen. Ja, der Ausflug nach Hankels Ablage, von dem man sich so viel versprochen und der auch wirklich so schön und glücklich begonnen hatte, war in seinem Ausgange nichts als eine Mischung von Verstimmung, Müdigkeit und Abspannung gewesen, und nur im letzten Augenblick, wo Botho liebevoll freundlich mit einem gewissen Schuldbewußtsein seine »Gute Nacht, Lene«, gesagt hatte, war diese noch einmal auf ihn zugeeilt und hatte, seine Hand ergreifend, ihn mit beinah leidenschaftlichem Ungestüm geküßt: »Ach, Botho, es war heute nicht so, wie's hätte sein sollen, und doch war niemand schuld... Auch die andern nicht.«

»Laß es, Lene!«

»Nein, nein. Es war niemand schuld; dabei bleibt es, daran ist nichts zu ändern. Aber daß es so ist, das ist eben das Schlimme daran. Wenn wer schuld hat, dann bittet man um Verzeihung, und dann ist es wieder gut. Aber das nutzt uns nichts. Und es ist auch nichts zu verzeihn.«

»Lene..«

»Du mußt noch einen Augenblick hören. Ach, mein einziger Botho, du willst es mir verbergen, aber es geht zu End'. Und rasch, ich weiß es.«

»Wie du nur sprichst.«

»Ich hab' es freilich nur geträumt«, fuhr Lene fort. »Aber warum hab' ich es geträumt? Weil es mir den ganzen Tag vor der Seele steht. Mein Traum war nur, was mein Herz eingab. Und was ich dir noch sagen wollte, Botho, und warum ich dir die paar Schritte nachgelaufen bin: es bleibt doch bei dem, was ich dir gestern abend sagte. Daß ich diesen Sommer leben konnte, war mir ein Glück und bleibt mir ein Glück, auch wenn ich von heut' ab unglücklich werde.«

»Lene, Lene, sprich nicht so...«

»Du fühlst selbst, daß ich recht habe; dein gutes Herz sträubt sich nur, es zuzugestehen und will es nicht wahrhaben. Aber ich weiß: gestern, als wir über diese Wiese gingen und plauderten und ich dir den Strauß pflückte, das war unser letztes Glück und unsere letzte schöne Stunde.«

Mit diesem Gespräch hatte der Tag geschlossen, und nun war der andere Morgen, und die Sommersonne schien hell in Bothos Zimmer. Beide Fenster standen auf, und in den Kastanien draußen quirilierten die Spatzen. Botho selbst, aus einem Meerschaum rauchend, lag zurückgelehnt in seinem Schaukelstuhl und schlug dann und wann mit einem neben ihm liegenden Taschentuche nach einem großen Brummer, der, wenn er zu dem einen Fenster hinaus war, sofort wieder an dem andern erschien, um Botho hartnäckig und unerbittlich zu umsummen.

»Daß ich diese Bestie doch los wäre! Quälen, martern möcht' ich sie. Diese Brummer sind allemal Unglücksboten und so hämisch zudringlich, als freuten sie sich über den Ärger, dessen Herold und Verkündiger sie sind.« In diesem Augenblicke schlug er wieder danach. »Wieder fort. Es hilft nichts. Also Resignation. Ergebung ist überhaupt das beste. Die Türken sind die klügsten Leute.«

Das Zuschlagen der kleinen Gittertür draußen ließ ihn während dieses Selbstgesprächs auf den Vorgarten blicken und dabei des eben eingetretenen Briefträgers gewahr werden, der ihm gleich danach unter leichtem militärischem Gruß und mit einem »Guten Morgen, Herr Baron« erst eine Zeitung und dann einen Brief in das nicht allzuhohe Parterrefenster hineinreichte. Botho warf die Zeitung beiseite, zugleich den Brief betrachtend, auf dem er die kleine, dichtstehende, trotzdem aber sehr deutliche Handschrift seiner Mutter unschwer erkannt hatte. »Dacht ich's doch... Ich weiß schon, eh ich gelesen. Arme Lene.«

Und nun brach er den Brief auf und las:

»*Schloß Zehden*. 29. Juni 1875. Mein lieber Botho: Was ich Dir als Befürchtung in meinem letzten Briefe mitteilte, das hat sich nun erfüllt: Rothmüller in Arnswalde hat sein Kapital zum 1. Oktober gekündigt und nur ›aus alter Freundschaft‹ hinzugefügt, daß er bis Neujahr warten wolle, wenn es mir eine Verlegenheit schaffe. ›Denn er wisse wohl, was er dem Andenken des seligen Herrn Barons schuldig sei‹. Diese Hinzufügung, so gut sie gemeint sein mag, ist doch doppelt empfindlich für mich; es mischt sich so viel prätentiöse Rücksichtnahme mit ein, die niemals angenehm berührt, am wenigsten von solcher Seite her. Du begreifst vielleicht die Verstimmung und Sorge, die mir diese Zeilen geschaffen haben. Onkel Kurt Anton würde helfen, wie schon bei früherer Gelegenheit; er liebt mich und vor allem Dich, aber seine Geneigtheit immer wieder in Anspruch zu nehmen, hat doch etwas Bedrückliches und hat es um so mehr, als er unsrer ganzen Familie, speziell aber uns beiden, die Schuld an unsren ewigen Verlegenheiten zuschiebt. Ich bin ihm, trotz meines redlichen Kümmerns um die Wirtschaft, nicht wirtschaftlich und anspruchslos genug, worin er recht haben mag, und Du bist ihm praktisch und lebensklug genug, worin er wohl ebenfalls das Richtige treffen wird. Ja, Botho, so liegt es. Mein Bruder ist ein Mann von einem sehr feinen Rechts- und Billigkeitsgefühl und von einer in Geldangelegenheiten geradezu hervorragenden Gentilezza, was man nur von wenigen unsrer Edelleute sagen kann. Denn unsre gute Mark Brandenburg ist die Sparsamkeits- und, wo geholfen werden soll, sogar die Ängstlichkeitsprovinz; aber so gentil er ist, er hat seine Launen und Eigenwilligkeiten, und sich in diesen beharrlich gekreuzt zu sehen, hat ihn seit einiger Zeit aufs ernsthafteste verstimmt. Er sagte mir, als ich letzthin Veranlassung nahm, der uns abermals drohenden Kapitalskündigung zu gedenken: ›Ich stehe gern zu Diensten, Schwester, wie du weißt, aber ich bekenne dir offen, immer da helfen zu sollen, wo man sich in jedem Augenblicke selber helfen könnte, wenn man nur etwas einsichtiger und etwas weniger eigensinnig wäre, das erhebt starke Zumutungen an die Seite meines Charakters, die nie meine hervorragendste war: an meine Nachgiebigkeit...‹ Du weißt, Botho, worauf sich diese seine Worte beziehen, und ich lege sie heute Dir ans Herz, wie sie damals, von Onkel Kurt Antons Seite, mir ans Herz gelegt wurden. Es gibt nichts, was Du, Deinen Worten und Briefen nach zu schließen, mehr perhorreszierst als Sentimentalitäten, und doch fürcht' ich, steckst Du selber drin, und zwar tiefer, als Du zugeben willst oder vielleicht weißt. Ich sage nicht mehr.«

Rienäcker legte den Brief aus der Hand und schritt im Zimmer auf und ab, während er den Meerschaum halb mechanisch mit einer Zigarette vertauschte. Dann nahm er den Brief wieder und las weiter. »Ja, Botho, Du hast unser aller Zukunft in der Hand und hast zu bestimmen, ob dies Gefühl einer beständigen Abhängigkeit fortdauern oder aufhören soll. Du hast es in der Hand, sag' ich, aber, wie ich freilich hinzufügen muß, nur kurze Zeit noch, jedenfalls nicht auf lange mehr. Auch darüber hat Onkel Kurt Anton mit mir gesprochen, namentlich im Hinblick auf die Sellenthiner Mama, die sich bei seiner letzten Anwesenheit in Rothenmoor in dieser sie lebhaft beschäftigenden Sache nicht nur mit großer Entschiedenheit, sondern auch mit einem Anflug von Gereiztheit ausgesprochen hat. Ob das Haus Rienäcker vielleicht glaube, daß ein immer kleiner werdender Besitz nach Art der Sibyllinischen Bücher (wo sie den Vergleich her hat, weiß ich nicht) immer wertvoller würde? Käthe werde nun zweiundzwanzig, habe den Ton der großen Welt und verfüge mit Hilfe der von ihrer Tante Kielmannsegge herstammenden Erbschaft über ein Vermögen, dessen Zinsertrag hinter dem Kapitalsbetrag der Rienäckerschen Heide samt Muränensee nicht sehr erheblich zurückbleiben werde. Solche junge Dame lasse man überhaupt nicht warten, am wenigsten aber mit so viel Beharrlichkeit und Seelenruhe. Wenn es Herrn von Rienäcker beliebe, das, was früher von seiten der Familie geplant und gesprochen sei, fallen zu lassen und stattgehabte Verabredungen als bloßes Kinderspiel anzusehen, so habe sie nichts dagegen. Herr von Rienäcker sei frei von dem Augenblick an, wo er frei sein wolle. Wenn er aber umgekehrt vorhabe, von dieser unbedingten Rückzugsfreiheit nicht Gebrauch machen zu wollen, so sei es an der Zeit, auch das zu zeigen. Sie wünschte nicht, daß ihre Tochter in das Gerede der Leute komme.

Du wirst dem Tone, der hieraus spricht, unschwer entnehmen, daß es durchaus nötig ist, Entschlüsse zu fassen und zu handeln. Was ich wünsche, weißt Du. Meine Wünsche sollen aber nicht verbindlich für Dich sein. Handle, wie Dir eigene Klugheit es eingibt; entscheide Dich so oder so, nur handle überhaupt! Ein Rückzug ist ehrenvoller als fernere Hinausschiebung. Säumst Du länger, so verlieren wir nicht nur die Braut, sondern das Sellenthiner Haus überhaupt und, was noch schlimmer, ja das Schlimmste ist, auch die freundlichen und immer hilfebereiten Gesinnungen des Onkels. Meine Gedanken begleiten Dich, möchten sie Dich auch leiten können. Ich wiederhole Dir, es wäre der Weg zu Deinem und unser aller Glück. Womit ich verbleibe Deine Dich liebende Mutter Josephine von R.«

Botho, als er gelesen, war in großer Erregung. Es war so, wie der Brief es aussprach, und ein Hinausschieben nicht länger möglich. Es stand nicht gut mit dem Rienäckerschen Vermögen, und Verlegenheiten waren da, die durch eigene Klugheit und Energie zu heben er durchaus nicht die Kraft in sich fühlte. »Wer bin ich? Durchschnittsmensch aus der sogenannten Obersphäre der Gesellschaft. Und was kann ich? Ich kann ein Pferd stallmeistern, einen Kapaun tranchieren und ein Jeu machen. Das ist alles, und so hab' ich denn die Wahl zwischen Kunstreiter, Oberkellner und Croupier. Höchstens kommt noch der Troupier hinzu, wenn ich in eine Fremdenlegion eintreten will. Und Lene dann mit mir als Tochter des Regiments. Ich sehe sie schon in kurzem Rock und Hackenstiefel und ein Tönnchen auf dem Rücken.«

In diesem Tone sprach er weiter und gefiel sich darin, sich bittre Dinge zu sagen. Endlich aber zog er die Klingel und beorderte sein Pferd, weil er ausreiten wolle. Und nicht lange, so hielt seine prächtige Fuchsstute draußen, ein Geschenk des Onkels, zugleich der Neid der Kameraden. Er hob sich in den Sattel, gab dem Burschen einige Weisungen und ritt auf die Moabiter Brücke zu, nach deren Passierung er in einen breiten über Fenn und Feld in die Jungfernheide hinüberführenden Weg einlenkte. Hier ließ er sein Pferd aus dem Trab in den Schritt fallen und nahm sich, während er bis dahin allerhand unklaren Gedanken nachgehangen hatte, mit jedem Augenblicke fester und schärfer ins Verhör. »Was ist es denn, was mich hindert, den Schritt zu tun, den alle Welt erwartet? Will ich Lene heiraten? Nein. Hab' ich's ihr versprochen? Nein. Erwartet sie's? Nein. Oder wird uns die Trennung leichter, wenn ich sie hinausschiebe? Nein. Immer nein und wieder nein. Und doch säume und schwanke ich, *das* eine zu tun, was durchaus getan werden muß.

Und weshalb säume ich? Woher diese Schwankungen und Vertagungen? Törichte Frage. Weil ich sie liebe.«

Kanonenschüsse, die vom Tegeler Schießplatz herüberklangen, unterbrachen hier sein Selbstgespräch, und erst als er das momentan unruhig gewordene Pferd wieder beruhigt hatte, nahm er den früheren Gedankengang wieder auf und wiederholte: »Weil ich sie liebe! Ja. Und warum soll ich mich dieser Neigung schämen? Das Gefühl ist souverän, und die Tatsache, daß man liebt, ist auch das Recht dazu, möge die Welt noch so sehr den Kopf darüber schütteln oder von Rätsel sprechen. Übrigens ist es kein Rätsel, und wenn doch, so kann ich es lösen. Jeder Mensch ist seiner Natur nach auf bestimmte, mitunter sehr, sehr kleine Dinge gestellt, Dinge, die, trotzdem sie klein sind, für ihn das Leben oder doch des Lebens Bestes bedeuten. Und dies Beste heißt mir Einfachheit, Wahrheit, Natürlichkeit. Das alles hat Lene; damit hat sie mir's angetan, da liegt der Zauber, aus dem mich zu lösen mir jetzt so schwerfällt.«

In diesem Augenblicke stutzte sein Pferd, und er wurde eines aus einem Wiesenstreifen aufgescheuchten Hasen gewahr, der dicht vor ihm auf die Jungfernheide zujagte. Neugierig sah er ihm nach und nahm seine Betrachtungen erst wieder auf, als der Flüchtige zwischen den Stämmen der Heide verschwunden war. »Und war es denn«, fuhr er fort, »etwas so Törichtes und Unmögliches, was ich wollte? Nein. Es liegt nicht in mir, die Welt herauszufordern und ihr und ihren Vorurteilen öffentlich den Krieg zu erklären; ich bin durchaus gegen solche Donquichotterien. Alles, was ich wollte, war ein verschwiegenes Glück, ein Glück, für das ich früher oder später, um des ihr ersparten Affronts willen, die stille Gutheißung der Gesellschaft erwartete. So war mein Traum, so gingen meine Hoffnungen und Gedanken. Und nun soll ich heraus aus diesem Glück und und soll ein anderes eintauschen, das mir keins ist. Ich hab eine Gleichgültigkeit gegen den Salon und einen Widerwillen gegen alles Unwahre, Geschraubte, Zurechtgemachte, Chic, Tournüre, savoirfaire - mir alles ebenso häßliche wie fremde Wörter.«

Hier bog das Pferd, das er schon seit einer Viertelstunde kaum noch im Zügel hatte, wie von selbst in einen Seitenweg ein, der zunächst auf ein Stück Ackerland und gleich dahinter auf einen von Unterholz und ein paar Eichen eingefaßten Grasplatz führte. Hier im Schatten eines der älteren Bäume, stand ein kurzes, gedrungenes Steinkreuz, und als er näher heranritt, um zu sehen, was es mit diesem Kreuz eigentlich sei, las er: »*Ludwig v. Hinckeldey*, gest. 10. März 1856.« Wie das ihn traf! Er wußte, daß das Kreuz hier herum stehe, war aber nie bis an diese Stelle gekommen und sah es nun als ein Zeichen an, daß das seinem eigenen Willen überlassene Pferd ihn gerade hierher geführt hatte.

Hinckeldey! Das war nun an die zwanzig Jahr, daß der damals Allmächtige zu Tode kam, und alles, was bei der Nachricht davon in seinem Elternhause gesprochen worden war, das stand jetzt wieder lebhaft vor seiner Seele. Vor allem *eine* Geschichte kam ihm wieder in Erinnerung. Einer der bürgerlichen, seinem Chef besonders vertrauten Räte übrigens hatte gewarnt und abgemahnt und das Duell überhaupt, und nun gar ein solches und unter solchen Umständen, als einen Unsinn und ein Verbrechen bezeichnet. Aber der sich bei *dieser* Gelegenheit plötzlich auf den Edelmann hin ausspielende Vorgesetzte hatte brüsk und hochmütig geantwortet: »Nörner, davon verstehen Sie nichts.« Und eine Stunde später war er in den Tod gegangen. Und warum? Einer Adelsvorstellung, einer Standesmarotte zuliebe, die mächtiger war als alle Vernunft, auch mächtiger als das Gesetz, dessen Hüter und Schützer zu sein er recht eigentlich die Pflicht hatte. »Lehrreich. Und was habe ich speziell daraus zu lernen? Was predigt dies Denkmal *mir*? Jedenfalls das eine, daß das Herkommen unser Tun bestimmt. Wer ihm gehorcht, kann zugrunde gehn, aber er geht besser zugrunde als der, der ihm widerspricht.«

Während er noch so sann, warf er sein Pferd herum und ritt querfeldein auf ein großes Etablissement, ein Walzwerk oder eine Maschinenwerkstatt zu, draus aus zahlreichen Essen Qualm und Feuersäulen in die Luft stiegen. Es war Mittag, und ein Teil der Arbeiter saß draußen im Schatten, um die Mahlzeit einzunehmen. Die Frauen, die das Essen gebracht hatten, standen plaudernd daneben, einige mit einem Säugling auf dem Arm und lachten sich untereinander an, wenn ein schelmisches oder anzügliches Wort gesprochen wurde. Rienäcker, der sich den Sinn für das Natürliche mit nur zu gutem Rechte zugeschrieben, war entzückt von dem Bilde da, das sich ihm bot, und mit einem Anfluge von Neid sah er auf die Gruppe glücklicher Menschen. »Arbeit und täglich Brot und Ordnung. Wenn unsre märkischen Leute sich verheiraten, so reden sie nicht von Leidenschaft und Liebe, sie sagen nur: ›Ich muß doch meine Ordnung haben.‹ Und das ist ein schöner Zug im Leben unsres Volks und nicht einmal prosaisch. Denn Ordnung ist viel und mitunter alles. Und nun frag ich mich: War *mein* Leben in der ›Ordnung‹? Nein. Ordnung ist Ehe.« So sprach er noch eine Weile vor sich hin, und dann sah er wieder Lene vor sich stehen, aber in ihrem

Auge lag nichts von Vorwurf und Anklage, sondern es war umgekehrt, als ob sie freundlich zustimme.

»Ja, meine liebe Lene, du bist auch für Arbeit und Ordnung und siehst es ein und machst es mir nicht schwer... aber schwer ist es doch... für dich und mich.«

Er setzte sein Pferd wieder in Trab und hielt sich noch eine Strecke hart an der Spree hin. Dann aber bog er, an den in der Mittagsstille daliegenden Zelten vorüber, in einen Reitweg ein, der ihn bis an den Wrangelbrunnen und gleich danach bis vor seine Tür führte.

Fünfzehntes Kapitel

Botho wollte sofort zu Lene hinaus, und als er fühlte, daß er dazu keine Kraft habe, wollte er wenigstens schreiben. Aber auch das ging nicht. »Ich kann es nicht, heute nicht.« Und so ließ er den Tag vergehen und wartete bis zum andern Morgen. Da schrieb er denn in aller Kürze.

»Liebe Lene! Nun kommt es doch so, wie Du mir vorgestern gesagt: Abschied. Und Abschied auf immer. Ich hatte Briefe von Haus, die mich zwingen; es muß sein, und weil es sein muß, so sei es schnell... Ach, ich wollte, diese Tage lägen hinter uns. Ich sage Dir weiter nichts, auch nicht, wie mir ums Herz ist... Es war eine kurze schöne Zeit, und ich werde nichts davon vergessen. Gegen neun bin ich bei Dir, nicht früher, denn es darf nicht lange dauern. Auf Wiedersehen, nur noch einmal auf Wiedersehen. Dein B. v. R.«

Und nun kam er. Lene stand am Gitter und empfing ihn wie sonst; nicht der kleinste Zug von Vorwurf oder auch nur von schmerzlicher Entsagung lag in ihrem Gesicht. Sie nahm seinen Arm, und so gingen sie den Vorgartensteig hinauf.

»Es ist recht, daß du kommst... Ich freue mich, daß du da bist. Und du mußt dich auch freuen.«

Unter diesen Worten hatten sie das Haus erreicht, und Botho machte Miene, wie gewöhnlich vom Flur her in das große Vorderzimmer einzutreten. Aber Lene zog ihn weiter fort und sagte:

»Nein, Frau Dörr ist drin...«

»Und ist uns noch bös?«

»Das nicht. Ich habe sie beruhigt. Aber, was sollen wir heut mit ihr? Komm, es ist ein so schöner Abend, und wir wollen allein sein.«

Er war einverstanden, und so gingen sie denn den Flur hinunter und über den Hof auf den Garten zu. Sultan regte sich nicht und blinzelte nur beiden nach, als sie den großen Mittelsteig hinauf- und dann auf die zwischen den Himbeerbüschen stehende Bank zu schritten.

Als sie hier ankamen, setzten sie sich. Es war still; nur vom Felde her hörte man ein Gezirp, und der Mond stand über ihnen.

Sie lehnte sich an ihn und sagte ruhig und herzlich: »Und das ist nun also das letztemal, daß ich deine Hand in meiner halte?«

»Ja, Lene. Kannst du mir verzeihn?«

»Wie du nur immer frägst. Was soll ich dir verzeihn?«

»Daß ich deinem Herzen wehe tue.«

»Ja, weh tut es. Das ist wahr.«

Und nun schwieg sie wieder und sah hinauf auf die blaß am Himmel heraufziehenden Sterne.

»Woran denkst du, Lene?«

»Wie schön es wäre, dort oben zu sein.«

»Sprich nicht so. Du darfst dir das Leben nicht wegwünschen; von solchem Wunsch ist nur noch ein Schritt...«

Sie lächelte. »Nein, das nicht. Ich bin nicht wie das Mädchen, das an den Ziehbrunnen lief und sich hineinstürzte, weil ihr Liebhaber mit einer andern tanzte. Weißt du noch, wie du mir davon erzähltest?«

»Aber, was soll es dann? Du bist doch nicht so, daß du so was sagst, bloß um etwas zu sagen.«

»Nein, ich hab es auch ernsthaft gemeint. Und wirklich (und sie wies hinauf), ich wäre gerne da. Da hätt' ich Ruh. Aber ich kann es abwarten... Und nun komm und laß uns ins Feld gehen. Ich habe kein Tuch mit herausgenommen und find es kalt hier im Stillsitzen.«

Und so gingen sie denn denselben Feldweg hinauf, der sie damals bis an die vorderste Häuserreihe von Wilmersdorf geführt hatte. Der Turm war deutlich sichtbar unter dem sternenklaren Himmel, und nur über den Wiesengrund zog ein dünner Nebelschleier.

»Weißt du noch«, sagte Botho, »wie wir mit Frau Dörr hier gingen?«

Sie nickte. »Deshalb hab' ich dir's vorgeschlagen; mich fror gar nicht oder doch kaum. Ach, es war ein so schöner Tag damals, und so heiter und glücklich bin ich nie gewesen, nicht vorher und nicht nachher. Noch in diesem Augenblicke lacht mir das Herz, wenn ich daran zurückdenke, wie wir gingen und sangen: ›Denkst du daran.‹ Ja, Erinnerung ist viel, ist alles. Und die hab' ich nun und bleibt mir und kann mir nicht mehr genommen werden. Und ich fühle ordentlich, wie mir dabei leicht zumute wird.«

Er umarmte sie. »Du bist so gut.«

Lene aber fuhr in ihrem ruhigen Tone fort: »Und daß mir so leicht ums Herz ist, das will ich nicht vorübergehen lassen und will dir alles sagen. Eigentlich ist es das Alte, was ich dir immer schon gesagt habe, noch vorgestern, als wir draußen auf der halb gescheiterten Partie waren, und dann nachher, als wir uns trennten. Ich hab' es so kommen sehn, von Anfang an und es geschieht nur, was muß. Wenn man schon geträumt hat, so muß man Gott dafür danken und darf nicht klagen, daß der Traum aufhört und die Wirklichkeit wieder anfängt. Jetzt ist es schwer, aber es vergißt sich alles oder gewinnt wieder ein freundliches Gesicht, und eines Tages bist du wieder glücklich und vielleicht ich auch.«

»Glaubst du's? Und wenn nicht, was dann?«

»Dann lebt man ohne Glück.«

»Ach, Lene, du sagst das so hin, als ob Glück nichts wäre. Aber es ist was, und das quält mich eben, und ist mir doch, als ob ich dir ein Unrecht getan hätte.«

»Davon sprech' ich dich frei. Du hast mir kein Unrecht getan, hast mich nicht auf Irrwege geführt und hast mir nichts versprochen. Alles war mein freier Entschluß. Ich habe dich von Herzen liebgehabt, das war mein Schicksal, und wenn es eine Schuld war, so war es meine Schuld. Und noch dazu eine Schuld, deren ich mich, ich muß es dir immer wieder sagen, von ganzer Seele freue, denn sie war mein Glück. Wenn ich nun dafür zahlen muß, so zahle ich gern. Du hast nicht gekränkt, nicht verletzt, nicht beleidigt, oder doch höchstens das, was die Menschen Anstand nennen und gute Sitte. Soll ich mich darum grämen? Nein. Es rückt sich alles wieder zurecht, auch das. Und nun komm und laß uns umkehren. Sieh nur, wie die Nebel steigen; ich denke, Frau Dörr ist nun fort, und wir treffen die gute Alte allein. Sie weiß von allem und hat den ganzen Tag über immer nur ein und dasselbe gesagt.«

»Und was?«

»Daß es so gut sei.«

Frau Nimptsch war wirklich allein, als Botho und Lene bei ihr eintraten. Alles war still und dämmrig, und nur das Herdfeuer warf einen Lichtschein über die breiten Schatten, die sich schräg durch das Zimmer zogen. Der Stieglitz schlief schon lange in seinem Bauer, und man hörte nichts als dann und wann das Zischen des überkochenden Wassers.

»Guten Abend, Mutterchen!« sagte Botho.

Die Alte gab den Gruß zurück und wollte von ihrer Fußbank aufstehen, um den großen Lehnstuhl heranzurücken. Aber Botho litt es nicht und sagte: »Nein, Mutterchen, ich setze mich auf meinen alten Platz.«

Und dabei schob er den Schemel ans Feuer.

Eine kleine Pause trat ein; alsbald aber begann er wieder: »Ich komme heut', um Abschied zu nehmen und Ihnen für alles Liebe und Gute zu danken, das ich hier so lange gehabt habe. Ja, Mutterchen, so recht von Herzen. Ich bin hier so gern gewesen und so glücklich. Aber nun muß ich fort, und alles, was ich noch sagen kann, ist bloß das: es ist doch wohl das Beste so.«

Die Alte schwieg und nickte zustimmend. »Aber ich bin nicht aus der Welt«, fuhr Botho fort »und ich werde Sie nicht vergessen, Mutterchen. Und nun geben Sie mir die Hand. So. Und nun gute Nacht!«

Hiernach stand er schnell auf und schritt auf die Tür zu, während Lene sich an ihn hing. So gingen sie bis an das Gartengitter, ohne daß weiter ein Wort gesprochen wäre. Dann aber sagte sie: »Nun kurz, Botho! Meine Kräfte reichen nicht mehr; es war doch zuviel, diese zwei Tage. Lebe wohl, mein Einziger, und sei so glücklich, wie du's verdienst und so glücklich, wie du mich gemacht hast. Dann bist du glücklich. Und von dem andern rede nicht mehr, es ist der Rede nicht wert. So, so.«

Und sie gab ihm einen Kuß und noch einen und schloß dann das Gitter.

Als er an der andern Seite der Straße stand, schien er, als er Lenens ansichtig wurde, noch einmal umkehren und Wort und Kuß mit ihr tauschen zu wollen. Aber sie wehrte heftig mit der Hand. Und so ging er denn weiter die Straße hinab, während sie, den Kopf auf den Arm und den Arm auf den Gitterpfosten gestützt, ihm mit großem Auge nachsah.

So stand sie noch lange, bis sein Schritt in der nächtlichen Stille verhallt war.

Sechzehntes Kapitel

Mitte September hatte die Verheiratung auf dem Sellenthinschen Gute Rothenmoor stattgefunden; Onkel Osten, sonst kein Redner, hatte das Brautpaar in dem zweifellos längsten Toaste seines Lebens leben lassen, und am Tage darauf hatte die Kreuzzeitung unter ihren sonstigen Familienanzeigen auch die folgende\gebracht: »Ihre am gestrigen Tage stattgehabte eheliche Verbindung zeigen hierdurch ergebenst an Botho Freiherr von Rienäcker, Premierleutnant im Kaiser-Kürassier-Regiment; Käthe Freifrau von Rienäcker geb. von Sellenthin.« Die Kreuzzeitung war begreiflicherweise nicht das Blatt, das in die Dörrsche Gärtnerwohnung samt ihren Dependenzien kam, aber schon am andern Morgen traf ein an Fräulein Magdalene Nimptsch adressierter Brief ein, in dem nichts lag als der Zeitungsausschnitt mit der Vermählungsanzeige. Lene fuhr zusammen, sammelte sich aber rascher, als der Absender, aller Wahrscheinlichkeit nach eine neidische Kollegin, erwartet haben mochte. Daß es von solcher Seite her kam, war schon aus dem beigefügten »Hochwohlgeboren« zu schließen. Aber gerade dieser Extraschabernack, der den schmerzhaften Stich verdoppeln sollte, kam Lenen zustatten und verminderte das bittere Gefühl, das ihr diese Nachricht sonst wohl verursacht hätte.

Botho und Käthe von Rienäcker waren noch am Hochzeitstage selbst nach Dresden hin aufgebrochen, nachdem beide der Verlokkung einer neumärkischen Vetternreise glücklich widerstanden hatten. Und wahrlich, sie hatten nicht Ursache, ihre Wahl zu bereuen; am wenigsten Botho, der sich jeden Tag nicht nur zu dem Dresdner Aufenthalte, sondern vielmehr noch zu dem Besitze seiner jungen Frau beglückwünschte, die Kaprizen und üble Laune gar nicht zu kennen schien. Wirklich, sie lachte den ganzen Tag über, und so leuchtend und hellblond sie war, so war auch ihr Wesen. An allem ergötzte sie sich, und allem gewann sie die heitere Seite ab. In dem von ihnen bewohnten Hotel war ein Kellner mit einem Toupet, das einem eben umkippenden Wellenkamme glich, und dieser Kellner samt seiner Frisur war ihre tagtägliche Freude, so sehr, daß sie, wiewohl sonst ohne besonderen Esprit, sich in Bildern und Vergleichen gar nicht genugtun konnte. Botho freute sich mit und lachte herzlich, bis sich mit einem Male doch etwas von Bedenken und selbst von Unbehagen in sein Lachen einzumischen begann. Er nahm nämlich wahr, daß sie, was auch geschehen oder ihr zu Gesicht kommen mochte, lediglich am Kleinen und Komischen hing, und als beide nach etwa vierzehntägigem glücklichem Aufenthalt ihre Heimreise nach Berlin antraten, ereignete sich's, daß ein kurzes, gleich zu Beginn der Fahrt geführtes Gespräch ihm über diese Charakterseite seiner Frau volle Gewißheit gab. Sie hatten ein Coupé für sich, und als sie, von der Elbbrücke her, noch einmal zurückblickten, um nach

Altstadt-Dresden und der Kuppel der Frauenkirche hinüberzugrü-
ßen, sagte Botho, während er ihre Hand nahm: »Und nun sage mir,
Käthe, was war eigentlich das Hübscheste hier in Dresden?«

»Rate!«

»Ja, das ist schwer, denn du hast so deinen eignen Geschmack,
und mit Kirchengesang und Holbeinischer Madonna darf ich dir gar
nicht kommen ...«

»Nein. Da hast du recht. Und ich will meinen gestrengen Herrn
auch nicht lange warten und sich quälen lassen. Es war dreierlei, was
mich entzückte: voran die Konditorei am Altmarkt und der Scheffel-
gassen-Ecke mit den wundervollen Pastetchen und dem Likör. Da
so zu sitzen ...«

»Aber, Käthe, man konnte ja gar nicht sitzen, man konnte kaum
stehn, und war eigentlich, als ob man sich jeden Bissen erobern
müsse.«

»Das war es eben. Eben deshalb, mein Bester. Alles, was man sich
erobern muß ...«

Und sie wandte sich ab und spielte neckisch die Schmollende, bis
er ihr einen herzlichen Kuß gab.

»Ich sehe«, lachte sie, »du bist schließlich einverstanden, und zur
Belohnung höre nun auch das Zweite und Dritte. Mein Zweites war
das Sommertheater draußen, wo wir ›Monsieur Herkules‹ sahn und
Knaak den Thannhäusermarsch auf einem klapprigen alten Whist-
tisch trommelte. So was Komisches hab' ich all mein Lebtag nicht
gesehn und du wahrscheinlich auch nicht. Es war wirklich zu komisch ... Und das Dritte ... Nun, das Dritte, das war ›Bacchus auf
dem Ziegenbock‹ im Grünen Gewölbe und der sich ›kratzende
Hund‹ von Peter Vischer.«

»Ich dachte mir so was, und wenn Onkel Osten davon hört, dann
wird er dir recht geben und dich noch lieber haben als sonst und mir
noch öfter wiederholen: Ich sage dir, Botho, die Käthe ...«

»Soll er's nicht?«

»Oh, gewiß soll er.«

Und damit brach auf Minuten hin ihr Gespräch ab, das in Bothos
Seele, so zärtlich und liebevoll er zu der jungen Frau hinübersah,
doch einigermaßen ängstlich nachklang. Die junge Frau selbst indes
hatte keine Ahnung von dem, was in ihres Gatten Seele vorging, und
sagte nur: »Ich bin müde, Botho. Die vielen Bilder. Es kommt doch
nach ... Aber (der Zug hielt eben) was ist denn das für ein Lärm und
Getriebe da draußen?«

»Das ist ein Dresdner Vergnügungsort, ich glaube Kötzschen-broda.«

»Kötzschenbroda? Zu komisch.«

Und während der Zug weiterdampfte, streckte sie sich aus und schloß anscheinend die Augen. Aber sie schlief nicht und sah zwischen den Wimpern hin nach dem geliebten Manne hinüber.

In der damals noch einreihigen Landgrafenstraße hatte Käthes Mama mittlerweile die Wohnung eingerichtet, und als zu Beginn des Oktobers das junge Paar in Berlin wieder eintraf, war es entzückt von dem Komfort, den es vorfand. In den beiden Frontzimmern, die jedes einen Kamin hatten, war geheizt, aber Tür und Fenster standen auf, denn es war eine milde Herbstluft, und das Feuer brannte nur des Anblicks und des Luftzuges halber. Das Schönste aber war der große Balkon mit seinem weit herunterfallenden Zeltdach, unter dem hinweg man in gerader Richtung ins Freie sah, erst über das Birkenwäldchen und den Zoologischen Garten fort und dahinter bis an die Nordspitze des Grunewalds.

Käthe freute sich unter Händeklatschen dieser prächtig freien Aussicht, umarmte die Mama, küßte Botho und wies dann plötzlich nach links hin, wo zwischen vereinzelten Pappeln und Weiden ein Schindelturm sichtbar wurde. »Sieh, Botho, wie komisch. Er ist ja wie dreimal eingeknickt. Und das Dorf daneben. Wie heißt es?«

»Ich glaube, Wilmersdorf«, stotterte Botho.

»Nun gut, Wilmersdorf. Aber was heißt das: ›ich glaube‹. Du wirst doch wissen, wie die Dörfer hier herum heißen. Sieh nur, Mama, macht er nicht ein Gesicht, als ob er uns ein Staatsgeheimnis verraten hätte? Nichts komischer als diese Männer.«

Und damit verließ man den Balkon wieder, um in dem dahinter gelegenen Zimmer das erste Mittagsmahl en famille einzunehmen: nur die Mama, das junge Paar und Serge, der als einziger Gast geladen war.

Rienäckers Wohnung lag keine tausend Schritte von dem Hause der Frau Nimptsch. Aber Lene wußte nichts davon und nahm ihren Weg oft durch die Landgrafenstraße, was sie vermieden haben würde, wenn sie von dieser Nachbarschaft auch nur eine Ahnung gehabt hätte.

Doch es konnte ihr nicht lange ein Geheimnis bleiben.

Es ging schon in die dritte Oktoberwoche, trotzdem war es noch wie im Sommer, und die Sonne schien so warm, daß man den schärferen Luftton kaum empfand.

»Ich muß heut' in die Stadt, Mutter«, sagte Lene. »Goldstein hat mir geschrieben. Er will mit mir über ein Muster sprechen, das in die Wäsche der Waldeckschen Prinzessin eingestickt werden soll. Und wenn ich erst in der Stadt bin, will ich auch die Frau Demuth in der Alten Jakobstraße besuchen. Man kommt sonst ganz von aller Menschheit los. Aber um Mittag bin ich wieder hier. Ich werd' es Frau Dörr sagen, daß sie nach dir sieht.«

»Laß nur, Lene, laß nur. Ich bin am liebsten allein. Und die Dörr, sie red't so viel un immer von ihrem Mann. Und ich habe ja mein Feuer. Und wenn der Stieglitz piept, das is mir genug. Aber wenn du mir eine Tüte mitbringst, ich habe jetzt immer solch Kratzen, und Malzbonbon löst so ...«

»Schön, Mutter.«

Und damit hatte Lene die kleine Wohnung verlassen und war erst die Kurfürsten- und dann die lange Potsdamer Straße hinunter gegangen, auf den Spittelmarkt zu, wo die Gebrüder Goldstein ihr Geschäft hatten. Alles verlief nach Wunsch, und es war nahezu Mittag, als sie, heimkehrend, diesmal anstatt der Kurfürsten- lieber die Lützowstraße passierte. Die Sonne tat ihr wohl, und das Treiben auf dem Magdeburger Platze, wo gerade Wochenmarkt war und alles eben wieder zum Aufbruch rüstete, vergnügte sie so, daß sie stehen blieb und sich das bunte Durcheinander mit ansah. Sie war wie benommen davon und wurde erst aufgerüttelt, als die Feuerwehr mit ungeheurem Lärm an ihr vorbeirasselte.

Lene horchte, bis das Gebimmel und Geklingel in der Ferne verhallt war, dann aber sah sie links hinunter nach der Turmuhr der Zwölf-Apostelkirche. »Gerade zwölf«, sagte sie. »Nun ist es Zeit, daß ich mich eile; sie wird immer unruhig, wenn ich später komme, als sie denkt.« Und so ging sie weiter die Lützowstraße hinunter auf den gleichnamigen Platz zu. Aber mit einem Male hielt sie und wußte nicht, wohin, denn auf ganz kurze Entfernung erkannte sie Botho, der mit einer jungen, schönen Dame am Arm grad auf sie zukam. Die junge Dame sprach lebhaft und anscheinend lauter heitre Dinge, denn Botho lachte beständig, während er zu ihr niederblickte. Diesem Umstande verdankte sie's auch, daß sie nicht schon lange bemerkt worden war, und rasch entschlossen, eine Begegnung mit ihm um jeden Preis zu vermeiden, wandte sie sich vom Trottoir her nach rechts hin und trat an das zunächst befindliche große Schaufenster heran, vor dem, mutmaßlich als Deckel für eine hier befindliche Kelleröffnung, eine viereckige geriffelte Eisenplatte lag. Das Schaufenster selbst war das eines gewöhnlichen Materialwarenladens mit dem üblichen Aufbau von Stearinlichten und Mixed-Pickles-Flaschen; nichts Besonderes, aber Lene starrte darauf hin, als ob sie dergleichen noch nie gesehen habe. Und wahrlich, Zeit war es, denn in ebendiesem Augenblicke streifte das junge Paar hart an ihr vorüber, und kein Wort entging ihr von dem Gespräche, das zwischen beiden geführt wurde.

»Käthe, nicht so laut«, sagte Botho, »die Leute sehen uns schon an.«

»Laß sie . . .«

»Sie denken am Ende, wir zanken uns . . .«

»Unter Lachen? Zanken unter Lachen?«

Und sie lachte wieder.

Lene fühlte das Zittern der dünnen Eisenplatte, darauf sie stand. Ein waagerecht liegender Messingstab zog sich, zum Schutze der großen Glasscheibe, vor dem Schaufenster hin, und einen Augenblick war es ihr, als ob sie, wie zu Beistand und Hilfe, nach dem Messingstab greifen müsse, sie hielt sich aber aufrecht, und erst als sie sicher sein durfte, daß beide weit genug fort waren, wandte sie sich wieder, um ihren Weg fortzusetzen. Sie tappte sich vorsichtig an den Häusern hin, und eine kurze Strecke ging es. Aber bald war ihr doch, als ob ihr die Sinne schwänden, und kaum, daß sie die nächste nach dem Kanal hin abzweigende Querstraße erreicht hatte, so bog sie hier ein und trat in einen Vorgarten, dessen Gittertür offen stand. Nur mit Mühe noch schleppte sie sich bis an eine kleine zur Veranda und Hochparterre hinauf führende Freitreppe, wenige Stufen, und setzte sich, einer Ohnmacht nah, auf eine derselben.

Als sie wieder erwachte, sah sie, daß ein halbwachsenes Mädchen, ein Grabscheit in der Hand, mit dem sie kleine Beete gegraben hatte, neben ihr stand und sie teilnahmsvoll anblickte, während von der Verandabrüstung aus eine alte Kindermuhme sie mit kaum geringerer Neugier musterte. Niemand war augenscheinlich zu Haus als das Kind und die Dienerin, und Lene dankte beiden und erhob sich und schritt wieder auf die Pforte zu. Das halbwachsene Mädchen aber sah ihr traurig-verwundert nach, und es war fast, wie wenn in dem Kinderherzen eine erste Vorstellung von dem Leid des Lebens gedämmert hätte.

Lene war inzwischen, den Fahrdamm passierend, bis an den Kanal gekommen und ging jetzt unten an der Böschung entlang, wo sie sicher sein durfte, niemandem zu begegnen. Von den Kähnen her blaffte dann und wann ein Spitz, und ein dünner Rauch, weil Mittag war, stieg aus den kleinen Kajütenschornsteinen auf. Aber sie sah und hörte nichts oder war wenigstens ohne Bewußtsein, dessen, was um sie her vorging, und erst als jenseits des Zoologischen die Häuser am Kanal hin aufhörten und die große Schleuse mit ihrem drüber-wegschäumenden Wasser sichtbar wurde, blieb sie stehen und rang nach Luft. »Ach, wer weinen könnte.« Und sie drückte die Hand gegen Brust und Herz.

Zu Hause traf sie die Mutter an ihrem alten Platz und setzte sich ihr gegenüber, ohne daß ein Wort oder Blick zwischen ihnen gewechselt worden wäre. Mit einem Male aber sah die Alte, deren Auge bis dahin immer in derselben Richtung gegangen war, von ihrem Herdfeuer auf und erschrak, als sie der Veränderung in Lenens Gesicht gewahr wurde.

»Lene, Kind, was hast du? Lene, wie siehst du nur aus?« Und so schwer beweglich sie sonsten war, heute machte sie sich im Umsehen von ihrer Fußbank los und suchte nach dem Krug, um die noch immer wie halbtot Dasitzende mit Wasser zu besprengen. Aber der Krug war leer, und so humpelte sie nach dem Flur und vom Flur nach Hof und Garten hinaus, um die gute Frau Dörr zu rufen, die gerade Goldlack und Jelängerjelieber abschnitt, um Marktsträuße daraus zu binden. Ihr Alter aber stand neben ihr und sagte: »Nimm nich wieder zu viel Strippe.«

Frau Dörr, als sie das jämmerliche Rufen der alten Frau von fernher hörte, verfärbte sich und antwortete mit lauter Stimme: »Komme schon, Mutter Nimptsch, komme schon«, und alles wegwerfend, was sie von Blumen und Bast in der Hand hatte, lief sie gleich auf das kleine Vorderhaus zu, weil sie sich sagte, daß da was los sein müsse.

»Richtig, dacht ich's doch ... Leneken.« Und dabei rüttelte und schüttelte sie die nach wie vor leblos Dasitzende, während die Alte langsam nachkam und über den Flur hinschlurrte.

»Wir müssen sie zu Bett bringen«, rief Frau Dörr, und die Nimptsch wollte selber mit anfassen. Aber so war das »wir« der stattlichen Frau Dörr nicht gemeint gewesen. »Ich mache so was allein, Mutter Nimptsch«, und Lenen in ihre Arme nehmend, trug sie sie nebenan in die Kammer und deckte sie hier zu.

»So, Mutter Nimptsch. Nu 'ne heiße Stürze. Das kenn ich, das kommt von's Blut. Erst 'ne Stürze un denn'n Ziegelstein an die Fußsohlen; aber gerad untern Spann, da sitzt das Leben ...Wovon is es denn eigentlich? Is gewiß 'ne Altration.«

»Weiß nich. Sie hat nichts gesagt. Aber ich denke mir, daß sie'n vielleicht gesehn hat.«

»Richtig. Das is es. Das kenn ich ...Aber nu die Fenster zu und runter mit's Rollo ... Manche sind für Kampfer und Hoffmannstropfen, aber Kampfer schwächt so und ist eigentlich bloß für Motten. Nein, liebe Nimptschen, was 'ne Natur is un noch dazu solche junge, die muß sich immer selber helfen, un darum bin ich für schwitzen. Aber orntlich. Un wovon kommt es? Von die Männer kommt es. Un doch hat man sie nötig un braucht sie ... Na, sie kriegt ja schon wieder Farbe.«

»Woll'n wir nich lieber nach'n Doktor schicken?«

»I Jott bewahre. Die kutschieren jetzt rum, un eh einer kommt, is sie schon dreimal dod und lebendig.«

Siebzehntes Kapitel

Drittehalb Jahre waren seit jener Begegnung vergangen, während welcher Zeit sich manches in unserem Bekannten- und Freundeskreise verändert hatte, nur nicht in dem in der Landgrafenstraße.

Hier herrschte dieselbe gute Laune weiter, der Frohmut der Flitterwochen war geblieben, und Käthe lachte nach wie vor. Was andere junge Frauen vielleicht getrübt hätte: daß das Paar einfach ein Paar blieb, wurde von Käthe keinen Augenblick schmerzlich empfunden. Sie lebte so gern und fand an Putz und Plaudern, an Reiten und Fahren ein so volles Genüge, daß sie vor einer Veränderung ihrer Häuslichkeit eher erschrak, als sie herbeiwünschte. Der Sinn für Familie, geschweige die Sehnsucht danach, war ihr noch nicht aufgegangen, und als die Mama brieflich eine Bemerkung über diese Dinge machte, schrieb Käthe ziemlich ketzerisch zurück: »Sorge Dich nicht, Mama. Bothos Bruder hat sich ja nun ebenfalls verlobt, in einem halben Jahr ist Hochzeit, und ich überlaß es gern meiner zukünftigen Schwägerin, sie die Fortdauer des Hauses Rienäcker angelegen sein zu lassen.«

Botho sah es anders an, aber auch sein Glück wurde durch das, was fehlte, nicht sonderlich getrübt, und wenn ihn trotzdem von Zeit zu Zeit eine Mißstimmung anwandelte, so war es, wie schon damals auf seiner Dresdener Hochzeitsreise, vorwiegend darüber, daß mit Käthe wohl ein leidlich vernünftiges, aber durchaus kein ernstes Wort zu reden war. Sie war unterhaltlich und konnte sich mitunter bis zu glücklichen Einfällen steigern, aber auch das Beste, was sie

sagte, war oberflächlich und »spielrig«, als ob sie der Fähigkeit ent-
behrt hätte, zwischen wichtigen und unwichtigen Dingen zu unter-
scheiden. Und was das schlimmste war, sie betrachtete das alles als
einen Vorzug, wußte sich was damit und dachte nicht daran, es ab-
zulegen. »Aber, Käthe, Käthe«, rief Botho dann wohl und ließ in
diesem Zuruf etwas von Mißbilligung mit durchklingen; ihr glückliches Naturell aber wußte ihn immer wieder zu entwaffnen, ja, so
sehr, daß er sich mit dem Anspruch, den er erhob, fast pedantisch
vorkam.

Lene mit ihrer Einfachheit, Wahrheit und Unredensartlichkeit
stand ihm öfters vor der Seele, schwand aber ebenso rasch wieder
hin, und nur wenn Zufälligkeiten einen ganz bestimmten Vorfall in
aller Lebendigkeit wieder in ihm wachriefen, kam ihm mit dieser
größeren Lebendigkeit des Bildes auch wohl ein stärkeres Gefühl
und mitunter selbst eine Verlegenheit.

Eine solche Zufälligkeit ereignete sich gleich im ersten Sommer,
als das junge Paar, von einem Diner bei Graf Alten zurückgekehrt,
auf dem Balkon saß und seinen Tee nahm. Käthe lag zurückgelehnt
in ihrem Stuhl und ließ sich aus der Zeitung einen mit Zahlenangaben
reichgespickten Artikel über Pfarr- und Stolgebühren vorlesen. Eigentlich verstand sie wenig davon, um so weniger, als die vielen Zahlen sie störten, aber sie hörte doch ziemlich aufmerksam zu, weil alle
märkischen Frölens ihre halbe Jugend »bei Predigers« zubringen
und so den Pfarrhausinteressen ihre Teilnahme bewahren. So war es
auch heut. Endlich brach der Abend herein, und im selben Augenblicke, wo's dunkelte, begann drüben im »Zoologischen« das Konzert, und ein entzückender Straußscher Walzer klang herüber.

»Höre nur, Botho«, sagte Käthe, sich aufrichtend, während sie
voll Übermut hinzusetzte: »Komm, laß uns tanzen.« Und ohne
seine Zustimmung abzuwarten zog sie ihn aus seinem Stuhl in die
Höh' und walzte mit ihm in das große Balkonzimmer hinein und in
diesem noch ein paarmal herum. Dann gab sie ihm einen Kuß und
sagte, während sie sich an ihn schmiegte: »Weißt du, Botho, so wundervoll hab' ich noch nie getanzt, auch nicht auf meinem ersten Ball,
den ich noch bei der Zülow mitmachte, ja, daß ich's nur gestehe,
noch ehe ich eingesegnet war. Onkel Osten nahm mich auf seine
Verantwortung mit, und die Mama weiß es bis diesen Tag nicht.
Aber selbst da war es nicht so schön wie heut'. Und doch ist die ver-
botene Frucht die schönste. Nicht wahr? Aber du sagst ja nichts, du
bist ja verlegen, Botho. Sieh, so ertapp' ich dich mal wieder.«

Er wollte, so gut es ging, etwas sagen, aber sie ließ ihn nicht dazu kommen. »Ich glaube wirklich, Botho, meine Schwester Ine hat es dir angetan, und du darfst mich nicht damit trösten wollen, sie sei noch ein halber Backfisch oder nicht weit darüber hinaus. Das sind immer die gefährlichsten. Ist es nicht so? Nun, ich will nichts gesehen haben, und ich gönn es ihr und dir. Aber auf alte, ganz alte Geschichten bin ich eifersüchtig, viel, viel eifersüchtiger als auf neue.«

»Sonderbar«, sagte Botho und versuchte zu lachen.

»Und doch am Ende nicht so sonderbar wie's aussieht«, fuhr Käthe fort. »Sieh, neue Geschichten hat man doch immer halb unter Augen, und es muß schon schlimm kommen und ein wirklicher Meisterverräter sein, wenn man gar nichts merken und so reinweg betrogen werden soll. Aber alte Geschichten, da hört alle Kontrolle auf, da kann es tausend und drei geben, und man weiß es kaum.«

»Und was man nicht weiß ...«

»Kann einen doch heiß machen. Aber lassen wir's und lies mir lieber weiter aus deiner Zeitung vor. Ich habe beständig an unsere Kluckhuhns denken müssen, und die gute Frau versteht es nicht. Und der Älterste soll jetzt gerade studieren.«

Solche Geschichten ereigneten sich häufiger und beschworen in Bothos Seele mit den alten Zeiten auch Lenens Bild herauf, aber sie selbst sah er nicht, was ihm auffiel, weil er ja wußte, daß sie halbe Nachbarn waren.

Es fiel ihm auf und wär' ihm doch leicht erklärlich gewesen, wenn er rechtzeitig in Erfahrung gebracht hätte, daß Frau Nimptsch und Lene gar nicht mehr an alter Stelle zu finden seien. Und doch war es so. Von dem Tag an, wo Lene dem jungen Paar in der Lützowstraße begegnet war, hatte sie der Alten erklärt, in der Dörrschen Wohnung nicht mehr bleiben zu können, und als Mutter Nimptsch, die sonst nie widersprach, den Kopf geschüttelt und geweimert und in einem fort auf den Herd hingewiesen hatte, hatte Lene gesagt: »Mutter, du kennst mich doch! Ich werde dir doch deinen Herd und dein Feuer nicht nehmen; du sollst alles wieder haben; ich habe das Geld dazu gespart, und wenn ich's nicht hätte, so wollt ich arbeiten, bis es beisammen wär. Aber hier müssen wir fort. Ich muß jeden Tag da vorbei, das halt' ich nicht aus, Mutter. Ich gönn ihm sein Glück, ja mehr noch, ich freue mich, daß er's hat. Gott ist mein Zeuge, denn er war ein guter, lieber Mensch und hat mir zuliebe gelebt, und kein Hochmut und keine Haberei. Und daß ich's rundheraus sage, trotzdem ich die feinen Herren nicht leiden kann, ein richtiger Edelmann, so recht einer, der das Herz auf dem rechten Fleck hat. Ja, mein ein ziger, Botho, du sollst glücklich sein, so glücklich, wie du's verdienst. Aber ich kann es nicht sehn, Mutter, ich muß weg hier, denn sowie ich zehn Schritte gehe, denk' ich, er steht vor mir. Und da bin ich in einem ewigen Zittern. Nein, nein, das geht nicht. Aber deine Herdstelle sollst du haben. Das versprech ich dir, ich, deine Lene.«

Nach diesem Gespräche war seitens der Alten aller Widerstand aufgegeben worden, und auch Frau Dörr hatte gesagt: »Versteht sich, ihr müßt ausziehen. Und dem alten Geizkragen, dem Dörr, dem gönn ich's. Immer hat er mir was vorgebrummt, daß ihr zu billig einsäßt, und daß nich die Steuer un die Repratur dabei rauskäme. Nu mag er sich freuen, wenn ihm alles leer steht. Und so wird's kommen. Denn wer zieht denn in einen solchen Puppenkasten, wo jeder Kater ins Fenster kuckt un kein Gas nich un keine Wasserleitung. I, versteht sich; ihr habt ja vierteljährliche Kündigung, und Ostern könnt ihr raus, da helfen ihm keine Sperenzchen. Und ich freue mich ordentlich; ja, Lene, so schlecht bin ich. Aber ich muß auch gleich für meine Schadenfreude bezahlen. Denn wenn du weg bist, Kind, und die gute Frau Nimptsch mit ihrem Feuer und ihrem Teekessel und immer kochend Wasser, ja, Lene, was hab' ich denn noch: Doch bloß *ihn* un Sultan un den dummen Jungen, der immer dummer wird. Un sonst keinen Menschen nich. Un wenn's denn kalt wird und Schnee fällt, is es mitunter zum kattolsch werden vor lauter Stillsitzen und Einsamkeit.«

Das waren so die ersten Verhandlungen gewesen, als der Umzugsplan in Lene feststand; und als Ostern herankam, war wirklich ein Möbelwagen vorgefahren, um aufzuladen, was an Habseligkeiten da war. Der alte Dörr hatte sich bis zuletzt überraschend gut benommen, und nach erfolgtem feierlichem Abschiede war Frau Nimptsch in eine Droschke gepackt und mit ihrem Eichkätzchen und Stieglitz bis an das Luisenufer gefahren worden, wo Lene, drei Treppen hoch, eine kleine Prachtwohnung gemietet und nicht nur ein paar neue Möbel angeschafft, sondern, in Erinnerung an ihr Versprechen, vor allem auch für einen an den großen Vorderzimmerofen angebauten Kamin gesorgt hatte. Seitens des Wirts waren anfänglich allerlei Schwierigkeiten gemacht worden, »weil solch Vorbau den Ofen ruiniere«. Lene hatte jedoch unter Angaben der Gründe darauf bestanden, was dem Wirt, einem alten, braven Tischlermeister, dem so was gefiel, einen großen Eindruck gemacht und ihn zum Nachgeben bestimmt hatte.

Beide wohnten nun ziemlich ebenso, wie sie vordem im Dörrschen Gartenhause gewohnt hatten, nur mit dem Unterschiede, daß sie jetzt drei Treppen hoch saßen und statt auf die phantastischen Türme des Elefantenhauses auf die hübsche Kuppel der Michaelskirche sahen. Ja, der Blick, dessen sie sich erfreuten, war entzückend und so schön und frei, daß er selbst auf die Lebensgewohnheiten der alten Nimptsch einen Einfluß gewann und sie bestimmte, nicht mehr bloß auf der Fußbank am Feuer, sondern, wenn die Sonne schien, auch am offenen Fenster zu sitzen, wo Lene für einen Tritt gesorgt hatte. Das alles tat der alten Frau Nimptsch ungemein wohl und half ihr auch gesundheitlich auf, so daß sie seit dem Wohnungswechsel weniger an Reißen litt als draußen in dem Dörrschen Gartenhause, das, so poetisch es lag, nicht viel besser als ein Keller gewesen war.

Im übrigen verging keine Woche, wo nicht, trotz des endlos weiten Weges, Frau Dörr vom »Zoologischen« her am Luisenufer erschienen wäre, bloß »um zu sehen, wie's stehe«. Sie sprach dann, nach Art aller Berliner Ehefrauen, ausschließlich von ihrem Manne, dabei regelmäßig einen Ton anschlagend, als ob die Verheiratung mit ihm eine der schwersten Mesalliancen und eigentlich etwas halb Unerklärliches gewesen wäre. In Wahrheit aber stand es so, daß sie sich nicht nur äußerst behaglich und zufrieden fühlte, sondern sich auch freute, daß Dörr gerade so war, wie er war. Denn sie hatte nur Vorteile davon, einmal den, beständig reicher zu werden, und nebenher den zweiten, ihr ebenso wichtigen, ohne jede Gefahr vor Änderung und Vermögenseinbuße sich unausgesetzt über den alten Geizkragen erheben und ihm Vorhaltungen über seine niedrige Gesinnung machen zu können. Ja, Dörr war das Hauptthema bei diesen Gesprächen, und Lene, wenn sie nicht bei Goldsteins oder sonstwo in der Stadt war, lachte jedesmal herzlich mit, und um so herzlicher, als sie sich, ebenso wie die Nimptsch, seit dem Umzuge sichtlich erholt hatte. Das Einrichten, Anschaffen und Instandsetzen hatte sie, wie sich denken läßt, von Anfang an von ihren Betrachtungen abgezogen, und was noch wichtiger und für ihre Gesundheit und Erholung erst recht von Vorteil gewesen war, war das, daß sie nun keine Furcht mehr vor einer Begegnung mit Botho zu haben brauchte. Wer kam nach dem Luisenufer? Botho gewiß nicht. All das vereinigte sich, sie vergleichsweise wieder frisch und munter erscheinen zu lassen, und nur eines war geblieben, das auch äußerlich an zurückliegende Kämpfe gemahnte: mitten durch ihr Scheitelhaar zog sich eine weiße Strähne. Mutter Nimptsch hatte kein Auge dafür oder machte nicht viel davon, die Dörr aber, die nach ihrer Art mit der Mode ging und vor allem ungemein stolz auf ihren echten Zopf war, sah die weiße Strähne gleich und sagte zu Lene: »Jott, Lene. Un grade links. Aber natürlich … da sitzt es ja … links muß es ja sein.«

Es war bald nach dem Umzuge, daß dies Gespräch geführt wurde. Sonst geschah im allgemeinen weder Bothos noch der alten Zeiten Erwähnung, was einfach darin seinen Grund hatte, daß Lene, wenn die Plauderei speziell *diesem* Thema sich zuwandte, jedesmal rasch abbrach oder auch wohl aus dem Zimmer ging. Das hatte sich die Dörr, als es Mal auf Mal wiederkehrte, gemerkt, und so schwieg sie denn über Dinge, von denen man ganz ersichtlich weder reden noch hören wollte. So ging es ein Jahr lang, und als das Jahr um war, war noch ein anderer Grund da, der es nicht rätlich erscheinen ließ, auf die alten Geschichten zurückzukommen. Nebenan nämlich war, Wand an Wand mit der Nimptsch, ein Mieter eingezogen, der, von Anfang an auf gute Nachbarschaft haltend, bald noch mehr als ein guter Nachbar zu werden versprach. Er kam jeden Abend und plauderte, so daß es mitunter an die Zeiten erinnerte, wo Dörr auf seinem Schemel gesessen und seine Pfeife geraucht hatte, nur daß der neue Nachbar in vielen Stücken doch anders war: ein ordentlicher und gebildeter Mann, von nicht gerade feinen, aber sehr anständigen Manieren, dabei guter Unterhalter, der, wenn Lene mit zugegen war, von allerlei städtischen Angelegenheiten, von Schulen, Gasanstalten und Kanalisation und mitunter auch von seinen Reisen zu sprechen wußte. Traf es sich, daß er mit der Alten allein war, so verdroß ihn auch das nicht, und er spielte dann Tod und Leben mit ihr oder Damebrett oder half ihr auch wohl eine Patience legen, trotzdem er eigentlich alle Karten verabscheute. Denn er war ein Konventikler und hatte, nachdem er erst bei den Mennoniten und dann später bei den Irvingianern eine Rolle gespielt hatte, neuerdings eine selbständige Sekte gestiftet.

Wie sich denken läßt, erregte dies alles die höchste Neugier der Frau Dörr, die denn auch nicht müde wurde, Fragen zu stellen und Anspielungen zu machen, aber immer nur, wenn Lene wirtschaftlich zu tun oder in der Stadt allerlei Besorgungen hatte. »Sagen Sie, liebe Frau Nimptsch, was is er denn eigentlich? Ich habe nachgeschlagen, aber er steht noch nich drin; Dörr hat bloß immer den vorjährigen. Franke heißt er?«

»Ja, Franke.«

»Franke. Da war mal einer in der Ohmgasse, Großböttchermeister, und hatte bloß ein Auge; das heißt, das andre war auch noch da, man bloß ganz weiß und sah eigentlich aus wie 'ne Fischblase. Un wovon war es? Ein Reifen, als er ihn umlegen wollte, war abgesprungen und mit der Spitze gerad ins Auge. Davon war es. Ob er von da herstammt?«

»Nein, Frau Dörr, er is gar nich von hier. Er is aus Bremen.«

»Ach so. Na, denn is es ja ganz natürlich.«

Frau Nimptsch nickte zustimmend, ohne sich über diese Natürlichkeitsversicherung weiter aufklären zu lassen, und fuhr ihrerseits fort: »Un von Bremen bis Amerika dauert bloß vierzehn Tage. Da ging er hin. Un er war so was wie Klempner oder Schlosser oder Maschinenarbeiter, aber als er sah, daß es nich ging, wurd' er Doktor und zog rum mit lauter kleine Flaschen und soll auch gepredigt haben. Und weil er so gut predigte, wurd' er angestellt bei ... Ja, nun hab' ich es wieder vergessen. Aber es sollen lauter sehr fromme Leute sein und auch sehr anständige.«

»Herr, du meine Güte«, sagte Frau Dörr. »Er wird doch nich ... Jott, wie heißen sie doch, die so viele Frauen haben, immer gleich sechs oder sieben und manche noch mehre ... Ich weiß nich, was sie mit so viele machen.«

Es war ein Thema, wie geschaffen für Frau Dörr. Aber die Nimptsch beruhigte die Freundin und sagte: »Nein, liebe Dörr, es is doch anders. Ich hab erst auch so was gedacht, aber da hat er gelacht und gesagt: ›I bewahre, Frau Nimptsch. Ich bin Junggeselle. Und wenn ich mich verheirate, da denk' ich mir, eine ist grade genug.‹«

»Na, da fällt mir ein Stein vom Herzen«, sagte die Dörr. »Und wie kam es denn nachher? Ich meine, drüben in Amerika.«

»Nu, nachher kam es ganz gut und dauerte gar nicht lange, so war ihm geholfen. Denn was die Frommen sind, die helfen sich immer untereinander. Und hatte wieder Kundschaft gekriegt und auch sein altes Metier wieder. Und das hat er noch und is in einer großen Fabrik hier in der Köpnicker Straße, wo sie kleine Röhren machen und Brenner und Hähne und alles, was sie für den Gas brauchen. Und er ist da der Oberste, so wie Zimmer- oder Mauerpolier, un hat wohl hundert unter sich. Un is ein sehr reputierlicher Mann mit Zylinder un schwarze Handschuhe. Un hat auch ein gutes Gehalt.«

»Un Lene?«

»Nu, Lene, die nähm' ihn schon. Und warum auch nich? Aber sie kann ja den Mund nicht halten, und wenn er kommt und ihr was sagt, dann wird sie ihm alles erzählen, all die alten Geschichten; erst die mit Kuhlwein (un is doch nu schon so lange, als wär's eigentlich gar nich gewesen) und denn die mit dem Baron. Und Franke, müssen Sie wissen, ist ein feiner un anständiger Mann, un eigentlich schon ein Herr.«

»Wir müssen es ihr ausreden. Er braucht ja nich alles zu wissen; wozu denn? Wir wissen ja auch nich alles.«

»Woll, woll. Aber die Lene ...«

Achtzehntes Kapitel

Nun war Juni 78. Frau von Rienäcker und Frau von Sellenthin waren den Mai über auf Besuch bei dem jungen Paare gewesen, und Mutter und Schwiegermutter, die sich mit jedem Tage mehr einredeten, ihre Käthe blasser, blutloser und matter als sonst vorgefunden zu haben, hatten, wie sich denken läßt, nicht aufgehört, auf einen Spezialarzt zu dringen, mit dessen Hilfe, nach beiläufig sehr kostspieligen gynäkologischen Untersuchungen, eine vierwöchentliche Schlangenbader Kur als vorläufig unerläßlich festgesetzt worden war. Schwalbach könne dann folgen. Käthe hatte gelacht und nichts davon wissen wollen, am wenigsten von Schlangenbad, »es sei so was Unheimliches in dem Namen, und sie fühle schon die Viper an der Brust«; aber schließlich hatte sie nachgegeben und in den nun beginnenden Reisevorbereitungen eine Befriedigung gefunden, die größer war als die, die sie sich von der Kur versprach. Sie fuhr täglich in die Stadt, um Einkäufe zu machen, und wurde nicht müde, zu versichern, wie sie jetzt erst das so hoch in Gunst und Geltung stehende »shopping« der englischen Damen begreifen lerne: so von Laden zu Laden zu wandern und immer hübsche Sachen und höfliche Menschen zu finden, das sei doch wirklich ein Vergnügen und lehrreich dazu, weil man so vieles sehe, was man gar nicht kenne, ja, wovon man bis dahin nicht einmal den Namen gehört hätte. Botho nahm in der Regel an diesen Gängen und Ausfahrten teil, und ehe die letzte Juniwoche heran war, war die halbe Rienäckersche Wohnung in eine kleine Ausstellung von Reiseeffekten umgewandelt: ein Riesenkoffer mit Messingbeschlag, den Botho nicht ganz mit Unrecht den »Sarg seines Vermögens« nannte, leitete den Reigen ein; dann kamen zwei kleinere von Juchtenleder, samt Taschen, Decken und Kissen, und über das Sofa hin ausgebreitet lag die Reisegarderobe mit einem Staubmantel obenan und einem Paar wundervoller dicksohliger Schnürstiefel, als ob es sich um irgendeine Gletscherpartie gehandelt hätte.

Den 24. Juni, Johannistag, sollte die Reise beginnen; aber am Tage vorher wollte Käthe den cercle intime noch einmal um sich versammeln, und so waren denn Wedell und ein junger Osten und selbstverständlich auch Pitt und Serge zu verhältnismäßig früher Stunde geladen worden. Dazu Käthes besonderer Liebling Balafré, der bei Mars-la-Tour, damals noch als »Halberstädter«, die große Attacke mitgeritten und wegen eines wahren Prachthiebes schräg über Stirn und Backe seinen Beinamen erhalten hatte.

Käthe saß zwischen Wedell und Balafré und sah nicht aus, als ob sie Schlangenbads oder irgendeiner Badekur der Welt besonders bedürftig sei; sie hatte Farbe, lachte, tat hundert Fragen und begnügte sich, wenn der Gefragte zu sprechen anhob, mit einem Minimum von Antwort. Eigentlich führte sie das Wort, und keiner nahm Anstoß daran, weil sie die Kunst des gefälligen Nichtssagens mit einer wahren Meisterschaft übte. Balafré fragte, wie sie sich ihr Leben in den Kurtagen denke? Schlangenbad sei nicht bloß wegen seiner Heilwunder, sondern viel, viel mehr noch wegen seiner Langenweile berühmt, und vier Wochen Badelangeweile seien selbst unter den günstigen Kurverhältnissen etwas viel.

»Oh, lieber Balafré«, sagte Käthe, »Sie dürfen mich nicht ängstigen und würden es auch nicht, wenn Sie wüßten, wieviel Botho für mich getan hat. Er hat mir nämlich acht Bände Novellen als freilich unterste Schicht in den Koffer gelegt, und damit sich meine Phantasie nicht kurwidrig erhitze, hat er gleich noch ein Buch über künstliche Fischzucht mit zugetan.«

Balafré lachte.

»Ja, Sie lachen, lieber Freund, und wissen doch erst die kleinere Hälfte, die Haupthälfte (Botho tut nämlich nichts ohne Grund und Ursache) ist eine Motivierung. Es war natürlich bloß Scherz, was ich da vorhin von meiner mit Hilfe der Fischzuchtsbroschüre nicht zu schädigenden Phantasie sagte, der Ernst von der Sache lief darauf hinaus, ich müsse dergleichen, die Broschüre nämlich, endlich lesen, und zwar aus Lokalpatriotismus; denn die Neumark, unsre gemeinsame glückliche Heimat, sei seit Jahr und Tag schon die Brut- und Geburtsstätte der künstlichen Fischzucht, und wenn ich von diesem nationalökonomisch so wichtigen neuen Ernährungsfaktor nichts wüßte, so dürfte ich mich jenseits der Oder im Landsberger Kreise gar nicht mehr sehen lassen, am allerwenigsten aber in Berneuchen, bei meinem Vetter Borne.«

Botho wollte das Wort nehmen, aber sie schnitt es ihm ab und fuhr fort: »Ich weiß, was du sagen willst, und daß es wenigstens mit den acht Novellen nur so für alle Fälle sei. Gewiß, gewiß, du bist immer so schrecklich vorsichtig. Aber ich denke, ›alle Fälle‹ sollen gar nicht kommen. Ich hatte nämlich gestern noch einen Brief von meiner

Schwester Ine, die mir schrieb, Anna Grävenitz sei seit acht Tagen auch da. Sie kennen sie ja, Wedell, eine geborene Rohr, charmante Blondine, mit der ich bei der alten Zülow in Pension und sogar in derselben Klasse war. Und ich entsinne mich noch, wie wir unsern vergötterten Felix Bachmann gemeinschaftlich anschwärmten und sogar Verse machten, bis die gute alte Zülow sagte, sie verbäte sich solchen Unsinn. Und Elly Winterfeld, wie mir Ine schreibt, käme wahrscheinlich auch. Und nun sag' ich mir, in Gesellschaft von zwei reizenden jungen Frauen – und ich als dritte, wenn auch mit den beiden andern gar nicht zu vergleichen –, in so guter Gesellschaft, sag' ich, muß man doch am Ende leben können. Nicht wahr, lieber Balafré?«

Dieser verneigte sich unter einem grotesken Mienenspiel, das in allem, nur nicht hinsichtlich eines von ihr selbst versicherten Zurückstehens gegen irgendwen sonst in der Welt, seine Zustimmung ausdrücken sollte, nahm aber nichtsdestoweniger sein ursprüngliches Examen wieder auf und sagte: »Wenn ich Details hören könnte, meine Gnädigste! Das einzelne, sozusagen die Minute, bestimmt unser Glück und Unglück. Und der Tag hat der Minuten so viele.«

»Nun, ich denk' es mir so. Jeden Morgen Briefe. Dann Promenadenkonzert und Spaziergang mit den zwei Damen, am liebsten in einer verschwiegenen Allee. Da setzen wir uns dann und lesen uns die Briefe vor, die wir doch hoffentlich erhalten werden, und lachen, wenn er zärtlich schreibt, und sagen ›ja, ja‹. Und dann kommt das Bad und nach dem Bade die Toilette, die natürlich mit Sorglichkeit und Liebe, was doch in Schlangenbad nicht ununterhaltlicher sein kann als in Berlin. Eher das Gegenteil. Und dann gehen wir zu Tisch und haben einen alten General zur Rechten und einen reichen Industriellen zur Linken, und für Industrielle hab' ich von Jugend an eine Passion gehabt. Eine Passion, deren ich mich nicht schäme. Denn entweder haben sie neue Panzerplatten erfunden oder unterseeische Telegraphen gelegt oder einen Tunnel gebohrt oder eine Kletter-Eisenbahn angelegt. Und dabei, was ich auch nicht verachte, sind sie reich. Und nach Tische Lesezimmer und Kaffee bei heruntergelassenen Jalousien, so daß einem die Schatten und Lichter immer auf der Zeitung umhertanzen. Und dann Spaziergang. Und vielleicht, wenn wir Glück haben, haben sich sogar ein paar Frankfurter oder Mainzer Kavaliere herüber verirrt und reiten neben dem Wagen her; und das muß ich Ihnen sagen, meine Herren, gegen Husaren, gleichviel ob rot oder blau, kommen Sie nicht auf, und von einem militärischen Standpunkt aus ist und bleibt es ein entschiedener Fehler, daß man die Gardedragoner verdoppelt, aber die Gardehusaren sozusagen einfach gelassen hat. Und noch unbegreiflicher ist es mir, daß man sie drüben läßt. So was Apartes gehört in die Hauptstadt.«

Botho, den das enorme Sprechtalent seiner Frau zu genieren anfing, suchte durch kleine Schraubereien ihrer Schwatzhaftigkeit Einhalt zu tun. Aber seine Gäste waren viel unkritischer als er, ja erheiterten sich mehr denn je über die »reizende kleine Frau«, und Balafré, der in Käthebewunderung obenan stand, sagte: »Rienäcker, wenn Sie noch ein Wort gegen Ihre Frau sagen, so sind Sie des Todes. Meine Gnädigste, was dieser Oger von Ehemann nur überhaupt will, was er nur krittelt? Ich weiß es nicht. Und am Ende muß ich gar glauben, daß er sich in seiner Schwerenkavallerie-Ehre gekränkt fühlt und – Pardon wegen der Wortspielerei! – lediglich um seines Harnisch willen in Harnisch gerät. Rienäcker, ich beschwöre Sie! Wenn ich solche Frau hätte wie Sie, so wäre mir jede Laune Befehl, und wenn mich die Gnädigste zum Husaren machen wollte, nun, so würd' ich schlankweg Husar, und damit basta. Soviel aber weiß ich gewiß und möchte Leben und Ehre darauf verwetten, wenn Seine Majestät solche beredten Worte hören könnte, so hätten die Gardehusaren drüben keine ruhige Stunde mehr, lägen morgen schon im Marschquartier in Zehlendorf und rückten übermorgen durchs Brandenburger Tor hier ein. Oh, dies Haus Sellenthin, das ich, die Gelegenheit beim Schopf ergreifend, in diesem ersten Toaste zum ersten, zum zweiten und zum dritten Male leben lasse! Warum haben Sie keine Schwester mehr, meine Gnädigste? Warum hat sich Fräulein Ine bereits verlobt? Vor der Zeit und jedenfalls mir zum Tort.«

Käthe war glücklich über derlei kleine Huldigungen und versicherte, daß sie, trotz Ine, die nun freilich rettungslos für ihn verloren sei, alles tun wolle, was sich tun lasse, wiewohl sie recht gut wisse, daß er, als ein unverbesserlicher Junggeselle, nur bloß so rede. Gleich danach aber ließ sie die Neckerei mit Balafré fallen und nahm das Reisegespräch wieder auf, am eingehendsten das Thema, wie sie sich die Korrespondenz eigentlich denke. Sie hoffe, wie sie nur wiederholen könne, jeden Tag einen Brief zu empfangen, das sei nun mal Pflicht eines zärtlichen Gatten, werd' es aber ihrerseits an sich kommen lassen und nur am ersten Tage von Station zu Station ein Lebenszeichen geben. Dieser Vorschlag fand Beifall sogar bei Rienäcker, und wurde nur schließlich dahin abgeändert, daß sie zwar auf jeder Hauptstation bis Köln hin, über das sie trotz des Umwegs ihre Route nahm, eine Karte schreiben, alle ihre Karten aber, so viel oder so wenig ihrer sein möchten, in ein gemeinschaftliches Kuvert stecken solle. Das habe dann den Vorzug, daß sie sich ohne Furcht vor Postexpedienten und Briefträgern über ihre Reisegenossen in aller Ungeniertheit aussprechen könne.

Nach dem Diner nahm man draußen auf dem Balkon den Kaffee, bei welcher Gelegenheit sich Käthe, nachdem sie sich eine Weile gesträubt, in ihrem Reisekostüm: in Rembrandthut und Staubmantel samt umgehängter Reisetasche präsentierte. Sie sah reizend aus. Balafré war entzückter denn je und bat sie, nicht allzusehr überrascht sein zu wollen, wenn sie ihn am andern Morgen, ängstlich in eine Coupéecke gedrückt, als Reisekavalier vorfinden sollte.

»Vorausgesetzt, daß er Urlaub kriegt«, lachte Pitt.

»Oder desertiert«, setzte Serge hinzu, »was den Huldigungsakt freilich erst vollkommen machen würde.«

So ging die Plauderei noch eine Weile. Dann verabschiedete man sich bei den liebenswürdigen Wirten und kam überein, bis zur Lützowplatzbrücke zusammenzubleiben. Hier aber teilte man sich in zwei Parteien, und während Balafré samt Wedell und Osten am Kanal hin weiter schlenderten, gingen Pitt und Serge, die noch zu Kroll wollten, auf den Tiergarten zu.

»Reizendes Geschöpf, diese Käthe«, sagte Serge. »Rienäcker wirkt etwas prosaisch daneben, und mitunter sieht er so sauertöpfisch und neunmalweise drein, als ob er die kleine Frau, die, bei Lichte besehen, eigentlich klüger ist als er, vor aller Welt entschuldigen müsse.«

Pitt schwieg.

»Und was sie nur in Schwalbach oder Schlangenbad soll?« fuhr Serge fort. »Es hilft doch nichts. Und wenn es hilft, ist es meist eine sehr sonderbare Hilfe.«

Pitt sah ihn von der Seite her an. »Ich finde, Serge, du russifizierst dich immer mehr, oder was dasselbe sagen will, wächst dich immer mehr in deinen Namen hinein.«

»Immer noch nicht genug. Aber Scherz beiseite, Freund, eines ist Ernst in der Sache: Rienäcker ärgert mich. Was hat er gegen die reizende, kleine Frau? Weißt du's?«

»Ja.«

»Nun?«

»She is rather a little silly. Oder, wenn du's deutsch hören willst: sie dalbert ein bißchen. Jedenfalls *ihm* zuviel.«

Neunzehntes Kapitel

Käthe zog zwischen Berlin und Potsdam schon die gelben Vorhänge vor ihr Coupéfenster, um Schutz gegen die beständig stärker werdende Blendung zu haben, am Luisenufer aber waren an demselben Tage keine Vorhänge herabgelassen, und die Vormittagssonne schien hell in die Fenster der Frau Nimptsch und füllte die ganze Stube mit Licht. Nur der Hintergrund lag im Schatten, und hier stand ein altmodisches Bett mit hoch aufgetürmten und rot- und weißkarierten Kissen, an die Frau Nimptsch sich lehnte. Sie saß mehr als sie lag, denn sie hatte Wasser in der Brust und litt heftig an asthmatischen Beschwerden. Immer wieder wandte sie den Kopf nach dem einen offenstehenden Fenster, aber doch noch häufiger nach dem Kaminofen, auf dessen Herdstelle heute kein Feuer brannte.

Lene saß neben ihr, ihre Hand haltend, und als sie sah, daß der Blick der Alten immer in derselben Richtung ging, sagte sie: »Soll ich ein Feuer machen, Mutter? Ich dachte, weil du liegst und die Bettwärme hast, und weil es so heiß ist ...«

Die Alte sagte nichts, aber es kam Lenen doch so vor, als ob sie's wohl gern hätte. So ging sie denn hin und bückte sich und machte ein Feuer.

Als sie wieder ans Bett kam, lächelte die Alte zufrieden und sagte: »Ja, Lene, heiß ist es. Aber du weißt ja, ich muß es immer sehn. Und wenn ich es nicht sehe, dann denk' ich, es ist alles aus, und kein Leben und kein Funke mehr. Und man hat doch so seine Angst hier ...«

Und dabei wies sie nach Brust und Herz.

»Ach, Mutter, du denkst immer gleich an Sterben. Und ist doch so oft schon vorübergegangen.«

»Ja, Kind, oft is es vorübergegangen, aber mal kommt es, und mit Siebzig da kann es jeden Tag kommen. Weißt du, mache das andere Fenster auch noch auf, dann is mehr Luft hier, und das Feuer brennt besser. Sieh doch bloß, es will nicht mehr recht, es raucht so ...«

»Das macht die Sonne, die grade drauf steht ...«

»Und dann gib mir von den grünen Tropfen, die mir die Dörr gebracht hat. Ein bißchen hilft es doch immer.«

Lene tat wie geheißen, und der Kranken, als sie die Tropfen genommen hatte, schien wirklich etwas besser und leichter ums Herz zu werden. Sie stemmte die Hand aufs Bett und schob sich höher hinauf, und als ihr Lene noch ein Kissen ins Kreuz gestopft hatte, sagte sie: »War Franke schon hier?«

»Ja, gleich heute früh. Er fragt immer, eh er in die Fabrik geht.«

»Is ein sehr guter Mann.«

»Ja, das ist er.«

»Und mit das Konventikelsche ...«

» ... Wird es so schlimm nicht sein. Und ich glaube beinah, daß er seine guten Grundsätze da her hat. Glaubst du nicht auch?«

Die Alte lächelte. »Nein, Lene, die kommen vom lieben Gott. Und der eine hat sie, und der andere hat sie nicht. Ich glaube nich recht ans Lernen un Erziehen ... Und hat er noch nichts gesagt?«

»Ja, gestern abend.«

»Un was hast du ihm geantwortet?«

»Ich habe ihm geantwortet, daß ich ihn nehmen wolle, weil ich ihn für einen ehrlichen und zuverlässigen Mann hielte, der nicht bloß für mich, sondern auch für dich sorgen würde ...«

Die Alte nickte zustimmend.

»Und«, fuhr Lene fort, »als ich das so gesagt hatte, nahm er meine Hand und rief in guter Laune: ›Na, Lene, denn also abgemacht!‹ Ich aber schüttelte den Kopf und sagte, daß das so schnell nicht ginge, denn ich hätt' ihm doch noch was zu bekennen. Und als er fragte was, erzählt' ich ihm, ich hätt' zweimal ein Verhältnis gehabt: erst ... na, du weißt ja, Mutter ... und den ersten hätt' ich ganz gern gehabt, und den andern hätt' ich sehr geliebt, und mein Herz hing noch an ihm. Aber er sei jetzt glücklich verheiratet und ich hätt' ihn nie wieder gesehen, außer ein einzig Mal, und ich wollt ihn auch nicht wiedersehn. Ihm aber, der es so gut mit uns meine, hätt' ich das alles sagen müssen, weil ich keinen und am wenigsten ihn hintergehen wolle ...«

»Jott, Jott«, weinerte die Alte dazwischen.

» ... Und gleich dannach ist er aufgestanden und in seine Wohnung rüber gegangen. Aber er war nicht böse, was ich ganz deutlich sehen konnte. Nur litt er's nicht, als ich ihn, wie sonst, bis an die Flurtür bringen wollte.«

Frau Nimptsch war ersichtlich in Angst und Unruhe, wobei sich freilich nicht recht erkennen ließ, ob es um des eben Gehörten willen oder aus Atemnot war. Es schien aber fast das letztere, denn mit einem Male sagte sie: »Lene, Kind, ich liege nicht hoch genug. Du mußt mir noch das Gesangbuch unterlegen.«

Lene widersprach nicht, ging vielmehr und holte das Gesangbuch. Als sie's aber brachte, sagte die Alte: »Nein, nich das, das ist das neue. Das alte will ich, das dicke mit den zwei Klappen.« Und erst als Lene mit dem dicken Gesangbuche wieder da war, fuhr die Alte fort: »Das hab ich meiner Mutter selig auch holen müssen und war noch ein halbes Kind damals und meine Mutter noch keine fuffzig und saß ihr auch hier und konnte keine Luft kriegen, und die großen Angstaugen kuckten mich immer so an. Als ich ihr aber das Porstsche, das sie bei der Einsegnung gehabt, unterschob, da wurde sie ganz still und ist ruhig eingeschlafen. Und das möcht ich auch. Ach, Lene. Der Tod ist es nich ... Aber das Sterben ... So, so. Ah, das hilft.«

Lene weinte still vor sich hin, und weil sie nun wohl sah, daß der guten alten Frau letzte Stunde nahe sei, schickte sie zu Frau Dörr und ließ sagen, »es stehe schlecht und ob Frau Dörr nicht kommen wolle«. Die ließ denn auch zurücksagen, »ja, sie werde kommen ...«, und um die sechste Stunde kam sie wirklich mit Lärm und Trara, weil Leisesein, auch bei Kranken, nicht ihre Sache war. Sie stappste nur so durch die Stube hin, daß alles schütterte und klirrte, was auf und neben dem Herde lag, und dabei verklagte sie Dörr, der immer grad in der Stadt sei, wenn er mal zu Hause sein sollte, und immer zu Hause wär, wenn sie ihn zum Kuckuck wünsche. Dabei hatte sie der Kranken die Hand gedrückt und Lene gefragt, ob sie denn auch tüchtig von den Tropfen eingegeben habe.

»Ja.«

»Wieviel denn?«

»Fünf ... fünf alle zwei Stunden.«

Das sei zu wenig, hatte die Dörr darauf versichert und unter Auskramung ihrer gesamten medizinischen Kenntnis hinzugesetzt: »sie habe die Tropfen vierzehn Tage lang in der Sonne ziehn lassen, und wenn man sie richtig einnehme, so ginge das Wasser weg wie mit 'ner Plumpe. Der alte Selke drüben im Zoologischen sei schon wie 'ne Tonne gewesen und habe schon ein Vierteljahr lang keinen Bettzippel mehr gesehn, immer aufrecht in 'n Stuhl un alle Fenster weit aufgerissen, als er aber vier Tage lang die Tropfen genommen, sei's gewesen, wie wenn man auf eine Schweinsblase drücke: hast du nich gesehen, alles raus un wieder lapp un schlapp.«

Unter diesen Worten hatte die robuste Frau der alten Nimptsch eine doppelte Portion von ihrem Fingerhut eingezwungen.

Lene, die bei dieser energischen Hilfe von einer doppelten und nur zu berechtigten Angst befallen wurde, nahm ihr Tuch und schickte sich an, einen Arzt zu holen. Und die Dörr, die sonst immer gegen die Doktors war, hatte diesmal nichts dagegen.

»Geh«, sagte sie, »sie kann's nicht lange mehr machen. Kuck bloß mal hier (und sie wies auf die Nasenflügel), da sitzt der Dod.«

Lene ging; aber sie konnte den Michaelkirchplatz noch kaum erreicht haben, als die bis dahin in einem Halbschlummer gelegene Alte sich aufrichtete und nach ihr rief: »Lene ...«

»Lene is nich da.«

»Wer is denn da?«

»Ich, Mutter Nimptsch. Ich, Frau Dörr.«

»Ach, Frau Dörr, das is recht. So, hierher; hier auf die Hutsche.«

Frau Dörr, gar nicht gewöhnt, sich kommandieren zu lassen, schüttelte sich ein wenig, war aber doch zu gutmütig, um dem Kommando nicht nachzukommen. Und so setzte sie sich denn auf die Fußbank.

Und sieh da, im selben Augenblick begann auch die alte Frau schon: »Ich will einen gelben Sarg haben un blauen Beschlag. Aber nich zuviel ...«

»Gut, Frau Nimptsch.«

»Un ich will auf 'n neuen Jakobikirchhof liegen, hintern Rollkrug un ganz weit weg nach Britz zu.«

»Gut, Frau Nimptsch.«

»Un gespart hab' ich alles dazu, schon vordem, als ich noch sparen konnte. Un es liegt in der obersten Schublade. Un da liegt auch das Hemd un das Kamisol, un ein Paar weiße Strümpfe mit N. Und dazwischen liegt es.«

»Gut, Frau Nimptsch. Es soll alles geschehen, wie Sie gesagt haben. Und ist sonst noch was?«

Aber die Alte schien von Frau Dörrs Frage nichts mehr gehört zu haben, und ohne Antwort zu geben faltete sie bloß die Hände, sah mit einem frommen und freundlichen Ausdruck zur Decke hinauf und betete: »Lieber Gott im Himmel, nimm sie in deinen Schutz und vergilt ihr alles, was sie mir alten Frau getan hat.«

»Ah, die Lene«, sagte Frau Dörr vor sich hin und setzte dann hinzu: »Das wird der liebe Gott auch, Frau Nimptsch, den kenn' ich, und habe noch keine verkommen sehen, die so war wie die Lene und solch Herz und solche Hand hatte.«

Die Alte nickte, und ein freundlich Bild stand sichtlich vor ihrer Seele.

So vergingen Minuten, und als Lene zurückkam und vom Flur her an die Korridortür klopfte, saß Frau Dörr noch immer auf der Fußbank und hielt die Hand ihrer alten Freundin. Und jetzt erst, wo sie das Klopfen draußen hörte, ließ sie die Hand los und stand auf und öffnete.

Lene war noch außer Atem. »Er ist gleich hier ... er wird gleich kommen.«

Aber die Dörr sagte nur: »Jott, die Doktors«, und wies auf die Tote.

Zwanzigstes Kapitel

Käthes erster Reisebrief war in Köln auf die Post gegeben und traf, wie versprochen, am andern Morgen in Berlin ein. Die gleich mitgegebene Adresse rührte noch von Botho her, der jetzt, lächelnd und in guter Laune, den sich etwas fest anfühlenden Brief in Händen hielt. Wirklich, es waren drei mit blassem Bleistift und auf beiden Seiten beschriebene Karten in das Kuvert gesteckt worden, alle schwer lesbar, so daß Rienäcker auf den Balkon hinaustrat, um das undeutliche Gekritzel besser entziffern zu können.

»Nun laß sehn, Käthe.«

Und er las:

»*Brandenburg a.H.*, 8 Uhr früh. Der Zug, mein lieber Botho, hält hier nur drei Minuten, aber sie sollen nicht ungenutzt vorübergehen, nötigenfalls schreib' ich unterwegs im Fahren weiter, so gut oder so schlecht es geht. Ich reise mit einer jungen, sehr reizenden Bankierfrau, Madame Salinger geb. Saling, aus Wien. Als ich mich über die Namensähnlickeit wunderte, sagte sie: ›Joa, schaun's, i hoab halt mei Komp'rativ g'heirat't.‹ Sie spricht in einem fort dergleichen und geht trotz einer zehnjährigen Tochter (blond, die Mutter brünett) ebenfalls nach Schlangenbad. Und auch über Köln, und auch wie ich eines dort abzustattenden Besuches halber. Das Kind ist gut geartet, aber nicht gut erzogen, und hat mir bei dem beständigen Umherklettern im Coupé bereits meinen Sonnenschirm zerbrochen, was die Mutter sehr in Verlegenheit brachte. Auf dem Bahnhofe, wo wir eben halten, d. h. in diesem Augenblicke setzt sich der Zug schon wieder in Bewegung, wimmelt es von Militär, darunter auch Brandenburger Kürassiere mit einem quittgelben Namenszug auf der Achselklappe; wahrscheinlich Nikolaus. Es macht sich sehr gut. Auch Füsiliere waren da, Fünfunddreißiger, kleine Leute, die mir doch kleiner vorkamen als nötig, obschon Onkel Osten immer zu sagen pflegte: der beste Füsilier sei *der,* der nur mit bewaffnetem Auge gesehen werden könne. Doch ich schließe. Die Kleine (leider) rennt nach wie vor von einem Coupéfenster zum andern und erschwert mir das Schreiben. Und dabei nascht sie beständig Kuchen: kleine, mit Kirschen und Pistazien belegte Tortenstücke. Schon zwischen Potsdam und Werder fing sie damit an. Die Mutter ist doch zu schwach. Ich würde strenger sein.«

Botho legte die Karte beiseite und überflog, so gut es ging, die zweite. Sie lautete:

»*Hannover*, 12 Uhr 30 Minuten. In Magdeburg war Goltz am Bahnhofe und sagte mir, Du hättest ihm geschrieben, ich käme. Wie gut und lieb wieder von Dir. Du bist doch immer der Beste, der Aufmerksamste. Goltz hat jetzt die Vermessungen am Harz, d. h. am 1. Juli fängt er an. – Der Aufenthalt hier in Hannover währt eine Viertelstunde, was ich benutzt habe, mir den unmittelbar am Bahnhofe gelegenen Platz anzusehen: lauter erst unter unserer Herrschaft entstandene Hotels und Bier-Etablissements, von denen eins ganz im gotischen Stile gebaut ist. Die Hannoveraner, wie mir ein Mitreisender erzählte, nennen es die ›Preußische Bierkirche‹, bloß aus welfischem Antagonismus. Wie schmerzlich dergleichen! Die Zeit wird aber auch *hier* vieles mildern. Das walte Gott. – Die Kleine knabbert in einem fort weiter, was mich zu beunruhigen anfängt. Wohin soll das führen? Die Mutter aber ist wirklich reizend und hat mir schon *alles* erzählt. Sie war auch in Würzburg bei Scanzoni, für den sie schwärmt. Ihr Vertrauen gegen mich ist beschämend und beinahe peinlich. Im übrigen ist sie, wie ich nur wiederholen kann, durchaus comme il faut. Um Dir bloß eines zu nennen: welch Reisenecessaire! Die Wiener sind uns in solchen Dingen doch sehr überlegen; man merkt die ältere Kultur.«

»Wundervoll«, lachte Botho. »Wenn Käthe kulturhistorische Betrachtung anstellt, übertrifft sie sich selbst. Aber aller guten Dinge sind drei. Laß sehn.«

Und dabei nahm er die dritte Karte.

»*Köln*, 8 Uhr abends. Kommandantur. Ich will meine Karten doch lieber noch *hier* zur Post geben und nicht bis Schlangenbad warten, wo Frau Salinger und ich morgen mittag einzutreffen gedenken. Mir geht es gut. Schroffensteins sehr liebenswürdig; besonders er. Übrigens, um nichts zu vergessen, Frau Salinger wurde durch Oppenheims Equipage vom Bahnhofe abgeholt. Unsere Fahrt, anfangs so reizvoll, gestaltete sich von Hamm aus einigermaßen beschwerlich und unschön. Die Kleine litt schwer und leider durch Schuld der Mutter. ›Was möchtest du noch?‹ fragte sie, nachdem unser Zug eben den Bahnhof Hamm passiert hatte, worauf das Kind antworte: ›Drops.‹ Und erst von dem Augenblick an wurde es so schlimm ... Ach, lieber Botho, jung oder alt, unsere Wünsche bedürfen doch beständig einer strengen und gewissenhaften Kontrolle. Dieser Gedanke beschäftigt mich seitdem unausgesetzt, und die Begegnung mit dieser liebenswürdigen Frau war vielleicht kein Zufall in meinem Leben. Wie oft habe ich Kluckhuhn in diesem Sinne sprechen hören. Und er hat recht. Morgen mehr. Deine Käthe.«

Botho schob die drei Karten wieder ins Kuvert und sagte: »Ganz Käthe. Welch Talent für die Plauderei! Und ich könnte mich eigentlich freuen, daß sie so schreibt, wie sie schreibt. Aber es fehlt etwas. Es ist alles so angeflogen, so bloßes Gesellschaftsecho. Aber sie wird sich ändern, wenn sie Pflichten hat. Oder doch vielleicht. Jedenfalls will ich die Hoffnung darauf nicht aufgeben.«

Am Tage danach kam ein kurzer Brief aus Schlangenbad, in dem viel, viel weniger stand als auf den drei Karten, und von diesem Tage an schrieb sie nur alle halbe Woche noch und plauderte von Anna Grävenitz und der wirklich auch noch erschienenen Elly Winterfeld, am meisten aber von Madame Salinger und der reizenden kleinen Sarah. Es waren immer dieselben Versicherungen, und nur am Schlusse der dritten Woche hieß es einigermaßen abweichend: »Ich finde jetzt die Kleine reizender als die Mutter. Diese gefällt sich in einem Toilettenluxus, den ich kaum passend finden kann, um so weniger, als eigentlich keine Herren hier sind. Auch seh' ich jetzt, daß sie Farbe auflegt und namentlich die Augenbrauen malt und vielleicht auch die Lippen, denn sie sind kirschrot. Das Kind aber ist sehr natürlich. Immer, wenn sie mich sieht, stürzt sie mit Vehemenz auf mich zu und küßt mir die Hand und entschuldigt sich zum hundertsten Male wegen der Drops, ›aber die Mama sei schuld‹, worin ich dem Kinde nur zustimmen kann. Und doch muß andererseits ein geheimnisvoll naschiger Zug in Sarahs Natur liegen; ich möchte beinahe sagen, etwas wie Erbsünde (glaubst Du daran? ich glaube daran, mein lieber Botho), denn sie kann von den Süßigkeiten nicht lassen und kauft sich in einem fort Oblaten, nicht Berliner, die wie Schaumkringel schmecken, sondern Karlsbader mit eingestreutem Zucker. Aber nichts mehr schriftlich davon. Wenn ich Dich wiedersehe, was sehr bald sein kann – denn ich möchte gern mit Anna Grävenitz zusammen reisen, man ist doch so mehr unter sich –, sprechen wir darüber und über vieles andere noch. Ach, wie freu ich mich, Dich wiedersehen und mit Dir auf dem Balkon sitzen zu können. Es ist doch am schönsten in Berlin, und wenn dann die Sonne so hinter Charlottenburg und dem Grunewald steht, und man so träumt und so müde wird, oh, wie herrlich ist das! Nicht wahr! Und weißt Du wohl, was Frau Salinger gestern zu mir sagte? ›Ich sei noch blonder geworden‹, sagte sie. Nun, Du wirst ja sehn. Wie immer Deine Käthe.«

Rienäcker nickte mit dem Kopf und lächelte. »Reizende, kleine Frau. Von ihrer Kur schreibt sie nichts; ich wette, sie fährt spazieren und hat noch keine zehn Bäder genommen.« Und nach diesem Selbstgespräche gab er dem eben eintretenden Burschen einige Weisungen und ging durch Tiergarten und Brandenburger Tor erst die Linden hinunter und dann auf die Kaserne zu, wo der Dienst ihn bis Mittag in Anspruch nahm.

Als er bald nach zwölf Uhr wieder zu Hause war und sich's nach eingenommenem Imbiß eben ein wenig bequem machen wollte, meldete der Bursche, »daß ein Herr ... ein Mann (er schwankte in der Titulatur) draußen sei, der den Herrn Baron zu sprechen wünsche«.

»Wer?«

»Gideon Franke ... Er sagte so.«

»Franke? Sonderbar. Nie gehört. Laß ihn eintreten.«

Der Bursche ging wieder, während Botho wiederholte: »Franke ... Gideon Franke ... Nie gehört. Kenn' ich nicht.«

Einen Augenblick später trat der Angemeldete ein und verbeugte sich von der Tür her etwas steif. Er trug einen bis oben hin zugeknöpften schwarzbraunen Rock, übermäßig blanke Stiefel und blankes, schwarzes Haar, das an beiden Schläfen dicht anlag. Dazu schwarze Handschuhe und hohe Vatermörder von untadeliger Weiße.

Botho ging ihm mit der ihm eigenen chevaleresken Artigkeit entgegen und sagte: »Herr Franke?«

Dieser nickte.

»Womit kann ich dienen? Darf ich Sie bitten, Platz zu nehmen ... Hier ... Oder vielleicht hier. Polsterstühle sind immer unbequem.«

Franke lächelte zustimmend und setzte sich auf einem Rohrstuhl, auf den Rienäcker hingewiesen hatte.

»Womit kann ich dienen?« wiederholte Rienäcker.

»Ich komme mit einer Frage, Herr Baron.«

»Die mir zu beantworten eine Freude sein wird, vorausgesetzt, daß ich sie beantworten kann.«

»Oh, niemand besser als Sie, Herr von Rienäcker ... Ich komme nämlich wegen der Lene Nimptsch.«

Botho fuhr zurück.

» … Und möchte«, fuhr Franke fort, »gleich hinzusetzen dürfen, daß es nichts Genierliches ist, was mich herführt. Alles, was ich zu sagen oder, wenn Sie's gestatten, Herr Baron, zu fragen habe, wird Ihnen und Ihrem Hause keine Verlegenheiten schaffen. Ich weiß auch von der Abreise der gnädigen Frau, der Frau Baronin, und habe mit allem Vorbedacht auf Ihr Alleinsein gewartet oder, wenn ich so sagen darf, auf Ihre Strohwitwertage.«

Botho hörte mit feinem Ohre heraus, daß der, der da sprach, trotz seines spießbürgerlichen Aufzuges ein Mann von Freimut und untadeliger Gesinnung sei. Das half ihm rasch aus seiner Verwirrung heraus, und er hatte Haltung und Ruhe ziemlich wiedergewonnen, als er über den Tisch hin fragte: »Sie sind ein Anverwandter Lenens? Verzeihung, Herr Franke, daß ich meine alte Freundin bei diesem alten, mir so lieben Namen nenne.«

Franke verbeugte sich und erwiderte: »Nein, Herr Baron, kein Verwandter; ich habe nicht diese Legitimation. Aber meine Legitimation ist vielleicht keine schlechtere: ich kenne die Lene seit Jahr und Tag und habe die Absicht, sie zu heiraten. Sie hat auch zugesagt, aber mir bei der Gelegenheit auch von ihrem Vorleben erzählt und dabei mit so großer Liebe von Ihnen gesprochen, daß es mir auf der Stelle feststand, Sie selbst, Herr Baron, offen und unumwunden fragen zu wollen, was es mit der Lene eigentlich sei. Worin Lene selbst, als ich ihr von meiner Absicht erzählte, mich mit sichtlicher Freude bestärkte, freilich gleich hinzusetzend: Ich solle es lieber nicht tun, denn Sie würden zu gut von ihr sprechen.«

Botho sah vor sich hin und hatte Mühe, die Bewegung seines Herzens zu bezwingen. Endlich aber war er wieder Herr seiner selbst und sagte: »Sie sind ein ordentlicher Mann, Herr Franke, der das Glück der Lene will, soviel hör' und seh' ich, und das gibt Ihnen ein gutes Recht auf Antwort. Was ich Ihnen zu sagen habe, darüber ist mir kein Zweifel, und ich schwanke nur noch wie. Das beste wird sein, ich erzähl' Ihnen, wie's kam und weiter ging und dann abschloß.«

Franke verbeugte sich abermals, zum Zeichen, daß er auch seinerseits dies für das beste halte.

»Nun denn«, hob Rienäcker an, »es geht jetzt ins dritte Jahr oder ist auch schon ein paar Monate darüber, daß ich bei Gelegenheit einer Kahnfahrt um die Treptower Liebesinsel herum in die Lage kam, zwei jungen Mädchen einen Dienst zu leisten und sie vor dem Kentern ihres Bootes zu bewahren. Eins der beiden Mädchen war die

Lene, und an der Art, wie sie dankte, sah ich gleich, daß sie anders war als andere. Von Redensarten keine Spur, auch später nicht, was ich gleich hier hervorheben möchte. Denn so heiter und mitunter beinahe ausgelassen sie sein kann, von Natur ist sie nachdenklich, ernst und einfach.«

Botho schob mechanisch das noch auf dem Tische stehende Tablett beiseite, strich die Decke glatt und fuhr dann fort: »Ich bat sie, sie nach Hause begleiten zu dürfen, und sie nahm es ohne weiteres an, was mich damals einen Augenblick überraschte. Denn ich kannte sie noch nicht. Aber ich sah sehr bald, woran es lag; sie hatte sich von Jugend an daran gewöhnt, nach ihren eigenen Entschlüssen zu handeln, ohne viel Rücksicht auf die Menschen und jedenfalls ohne Furcht vor ihrem Urteil.«

Franke nickte.

»So machten wir denn den weiten Weg, und ich begleitete sie nach Haus und war entzückt von allem, was ich da sah, von der alten Frau, von dem Herd, an dem sie saß, von dem Garten, darin das Haus lag, und von der Abgeschiedenheit und Stille. Nach einer Viertelstunde ging ich wieder, und als ich mich draußen am Gartengitter von der Lene verabschiedete, frug ich, ›ob ich wiederkommen dürfe‹, welche Frage sie mit einem einfachen ›Ja‹ beantwortete. Nichts von falscher Scham, aber noch weniger von Unweiblichkeit. Umgekehrt, es lag etwas Rührendes in ihrem Wesen und ihrer Stimme.«

Rienäcker, als das alles wieder vor seine Seele trat, stand in sichtlicher Erregung auf und öffnete beide Flügel der Balkontür, als ob es ihm in seinem Zimmer zu heiß werde. Dann, auf und ab schreitend, fuhr er in einem rascheren Tempo fort: »Ich habe kaum noch etwas hinzuzusetzen. Das war um Ostern, und wir hatten einen Sommer lang allerglücklichste Tage. Soll ich davon erzählen? Nein. Und dann kam das Leben mit seinem Ernst und seinen Ansprüchen. Und das war es, was uns trennte.«

Botho hatte mittlerweile seinen Platz wieder eingenommen, und der all die Zeit über mit Glattstreichung seines Hutes beschäftigte Franke sagte ruhig vor sich hin: »Ja, so hat sie mir's auch erzählt.«

»Was nicht anders sein kann, Herr Franke. Denn die Lene – und ich freue mich von ganzen Herzen, auch gerade das noch sagen zu können –, die Lene lügt nicht und bisse sich eher die Zunge ab, als daß sie flunkerte. Sie hat einen doppelten Stolz, und neben dem, von ihrer Hände Arbeit leben zu wollen, hat sie noch den andern, alles gradheraus zu sagen und keine Flausen zu machen, und nichts zu vergrößern und nichts zu verkleinern. ›Ich brauch' es nicht und ich *will* es nicht‹, das hab ich sie viele Male sagen hören. Ja, sie hat ihren eigenen Willen, vielleicht etwas mehr als recht ist, und wer sie tadeln will, kann ihr vorwerfen, eigenwillig zu sein. Aber sie will nur, was sie glaubt verantworten zu können und wohl auch wirklich verantworten kann, und solch Wille, mein ich, ist doch mehr Charakter als Selbstgerechtigkeit. Sie nicken, und ich sehe daraus, daß wir einerlei Meinung sind, was mich aufrichtig freut. Und nun noch ein Schluß-wort, Herr Franke. Was zurückliegt, liegt zurück. Können Sie dar-über nicht hin, so muß ich das respektieren. Aber können Sie's, so sag' ich Ihnen, Sie kriegen da eine selten gute Frau. Denn sie hat das Herz auf dem rechten Fleck und ein starkes Gefühl für Pflicht und Recht und Ordnung.«

»So hab' ich Lenen auch immer gefunden, und ich versprech mir von ihr, ganz so wie der Herr Baron sagen, eine selten gute Frau. Ja, der Mensch soll die Gebote halten, *alle* soll er sie halten, aber es ist doch ein Unterschied, je nachdem die Gebote sind, und wer das *eine* nicht hält, der kann immer noch was taugen, wer aber das *andere* nicht hält, und wenn's auch im Katechismus dicht daneben stünde, der taugt nichts und ist verworfen von Anfang an, und steht außer-halb der Gnade.«

Botho sah ihn verwundert an und wußte sichtlich nicht, was er aus dieser feierlichen Ansprache machen sollte. Gideon Franke aber, der nun auch seinerseits im Gange war, hatte kein Auge mehr für den Eindruck, den seine ganz auf eigenem Boden gewachsenen An-schauungen hervorbrachten, und fuhr deshalb in einem immer pre-digerhafter werdenden Tone fort: »Und wer in seines Fleisches Schwäche gegen das sechste verstößt, dem kann verziehen werden, wenn er in gutem Wandel und in der Reue steht, wer aber gegen das *siebente* verstößt, der steckt nicht bloß in des Fleisches Schwäche, der steckt in der Seele Niedrigkeit, und wer lügt und trügt oder ver-leumdet und falsch Zeugnis redet, der ist von Grund aus verdorben, und aus der Finsternis geboren, und ist keine Rettung mehr und gleicht einem Felde, darinnen die Nesseln so tief liegen, daß das Un-kraut immer wieder aufschießt, soviel gutes Korn auch gesät werden mag. Und darauf leb' ich und sterb' ich, und hab' es durch alle Tage hin erfahren. Ja, Herr Baron, auf die Proppertät kommt es an und auf die Honnettität kommt es an, und auf die Reellität. Und auch im Ehestande. Denn ehrlich währt am längsten und Wort und Verlaß muß sein. Aber was gewesen ist, das ist gewesen, das gehört vor Gott. Und denk' ich anders darüber, was ich auch respektiere, geradeso wie der Herr Baron, so muß ich davonbleiben und mit meiner Neigung und Liebe gar nicht erst anfangen. Ich war lange drüben in den States, und wenn auch drüben, geradeso wie hier, nicht alles Gold ist was glänzt, *das* ist doch wahr, man lernt drüben anders sehen und nicht immer durchs selbe Glas. Und lernt auch, daß es viele Heilswege gibt und viele Glückswege. Ja, Herr Baron, es gibt viele Wege, die zu Gott führen, und es gibt viele Wege, die zu Glück führen, dessen bin ich in meinem Herzen gleicherweise gewiß. Und der eine Weg ist gut und der andre Weg ist gut. Aber jeder gute Weg muß ein offner Weg und ein gerader Weg sein und in der Sonne liegen, und ohne Morast und ohne Sumpf und ohne Irrlicht. Auf die Wahrheit kommt es an, und auf die Zuverlässigkeit kommt es an und auf die Ehrlichkeit.«

Franke hatte sich bei diesen Worten erhoben, und Botho, der ihm artig bis an die Tür hin folgte, gab ihm hier die Hand.

»Und nun, Herr Franke, bitt' ich zum Abschied noch um das eine: grüßen Sie mir die Frau Dörr, wenn Sie sie sehn und der alte Verkehr mit ihr noch andauert, und vor allem grüßen Sie mir die gute alte Frau Nimptsch. Hat sie denn noch ihre Gicht und ihre ›Wehdage‹, worüber sie sonst beständig klagte?«

»Damit ist es vorbei.«

»Wie das?« fragte Botho.

»Wir haben sie vor drei Wochen schon begraben, Herr Baron. Gerade heut' vor drei Wochen.«

»Begraben?« wiederholte Botho. »Und wo?«

»Draußen hinterm Rollkrug, auf dem neuen Jakobikirchhof ... Eine gute, alte Frau. Und wie sie an der Lene hing. Ja, Herr Baron, die Mutter Nimptsch ist tot. Aber Frau Dörr, die lebt noch (und er lachte), die lebt noch lange. Und wenn sie kommt, ein weiter Weg ist es, dann werd' ich sie grüßen. Und ich sehe schon, wie sie sich freut. Sie kennen sie ja, Herr Baron. Ja, ja, die Frau Dörr ...«

Und Gideon Franke zog noch einmal seinen Hut, und die Tür fiel ins Schloß.

Rienäcker, als er wieder allein war, war von dieser Begegnung und vor allem von dem, was er zuletzt gehört, wie benommen. Wenn er sich, in der zwischenliegenden Zeit, des kleinen Gärtnerhauses und seiner Insassen erinnert hatte, so hatte sich ihm selbstverständlich alles so vor die Seele gestellt, wie's einst gewesen war, und nun war alles anders, und er hatte sich in einer ganz neuen Welt zurechtzufinden: in dem Häuschen wohnten Fremde, wenn es überhaupt noch bewohnt war, auf dem Herde brannte kein Feuer mehr, wenigstens nicht tagaus, tagein, und Frau Nimptsch, die das Feuer gehütet hatte, war tot und lag draußen auf dem Jakobikirchhof. Alles das ging in ihm um, und mit einemmal stand auch der Tag wieder vor ihm, an dem er der alten Frau, halb humoristisch, halb feierlich, versprochen hatte, ihr einen Immortellenkranz aufs Grab zu legen. In der Unruhe, darin er sich befand, war es ihm schon eine Freude, daß ihm das Versprechen wieder einfiel, und so beschloß er denn, die damalige Zusage sofort wahrzumachen. »Rollkrug und Mittag und pralle Sonne – die reine Reise nach Mittelafrika. Aber die gute Alte soll ihren Kranz haben.«

Und gleich danach nahm er Degen und Mütze und machte sich auf den Weg.

An der Ecke war ein Droschkenstand, freilich nur ein kleiner, und so kam es, daß trotz der Inschrifttafel: »Halteplatz für drei Droschken«, immer nur der Platz und höchst selten eine Droschke da war. So war es auch heute wieder, was mit Rücksicht auf die Mittagsstunde (wo die Droschken überall, als ob die Erde sie verschlänge, zu verschwinden pflegen) an diesem ohnehin nur auf ein Pflichtteil gesetzten Halteplatz kaum überraschen konnte. Botho ging also weiter, bis ihm, in der Nähe der Von-der-Heydt-Brücke, ein ziemlich klappriges Gefährt entgegenkam, hellgrün mit rotem Plüschsitz und einem Schimmel davor. Der Schimmel schlich nur so hin, und Rienäcker konnte sich angesichts der »Tour«, die dem armen Tiere bevorstand, eines wehmütigen Lächelns nicht erwehren. Aber so weit er auch das Auge schicken mochte, nichts Besseres war in Sicht, und so trat er den an den Kutscher heran und sagte: »Nach dem Rollkrug. Jakobikirchhof.«

»Zu Befehl, Herr Baron.«

» . . . Aber unterwegs müssen wir halten. Ich will nämlich noch einen Kranz kaufen.«

»Zu Befehl, Herr Baron.«

Botho war einigermaßen verwundert über die mit so viel Promptheit wiederkehrende Titular und sagte deshalb: »Kennen Sie mich?«

»Zu Befehl, Herr Baron. Baron Rienäcker, Landgrafenstraße. Dicht bei 'n Halteplatz. Hab' Ihnen schon öfter gefahren.«

Bei diesem Gespräche war Botho eingestiegen, gewillt, sich's in der Plüschecke nach Möglichkeit bequem zu machen, er gab es aber bald wieder auf, den die Ecke war heiß wie ein Ofen.

Rienäcker hatte den hübschen und herzerquickenden Zug aller märkischen Edelleute, mit Personen aus dem Volke gern zu plaudern, lieber als mit »Gebildeten«, und begann denn auch ohne weiteres, während sie im Halbschatten der jungen Kanalbäume dahinfuhren: »Is das eine Hitze! Ihr Schimmel wird sich auch nicht gefreut haben, wenn er ›Rollkrug‹ gehört hat.«

»Na, Rollkrug geht noch; Rollkrug geht noch von wegen der Heide. Wenn er da durchkommt un die Fichten riecht, freut er sich immer. Er is nämlich von's Land ... Oder vielleicht is es auch die Musike. Wenigstens spitzt er immer die Ohren.«

»So, so«, sagte Botho. »Bloß nach tanzen sieht er mir nicht aus ... Aber wo werden wir denn den Kranz kaufen? Ich möchte nicht gern ohne Kranz auf den Kirchhof kommen.«

»Oh, damit is noch Zeit, Herr Baron. Wenn erst die Kirchhofsgegend kommt, von's Hallsche Tor an und die ganze Pionierstraße runter.«

»Ja, ja, Sie haben recht; ich entsinne mich ...«

»Un nachher, bis dicht an den Kirchhof ran, hat's ihrer auch noch.«

Botho lächelte. »Sie sind wohl ein Schlesier?«

»Ja«, sagte der Kutscher. »Die meisten sind. Aber ich bin schon lange hier und eigentlich ein halber Richtiger-Berliner.«

»Und's geht Ihnen gut?«

»Na, von gut is nu woll keine Rede nich. Es kost't allens zuviel un soll immer von's Beste sein. Und der Haber is teuer. Aber das ginge noch, wenn man bloß sonst nichts passierte. Passieren tut aber immer was, heut bricht' ne Achse, un morgen fällt en Pferd. Ich habe noch einen Fuchs zu Hause, der bei den Fürstenwalder Ulanen gestanden hat; propres Pferd, man bloß keine Luft nich un wird es woll nich lange mehr machen. Un mit eins is er weg ... Un denn die Fahrpolizei; nie zufrieden, hier nich und da nich. Immer muß man frisch anstreichen. Un der rote Plüsch is auch nich von umsonst.«

Während sie noch so plauderten, waren sie, den Kanal entlang, bis an das Hallesche Tor gekommen; vom Kreuzberg her aber kam gerad ein Infanteriebataillon mit voller Musik, und Botho, der keine Begegnungen wünschte, trieb deshalb etwas zur Eile. So ging es denn rasch an der Belle-Alliance-Brücke vorbei, jenseits derselben aber ließ er halten, weil er gleich an einem der ersten Häuser gelesen hatte: »Kunst- und Handelsgärtnerei«. Drei, vier Stufen führten in einen Laden hinauf, in dessen großem Schaufenster allerlei Kränze lagen.

Rienäcker stieg aus und die Stufen hinauf. Die Tür oben aber gab beim Eintreten einen scharfen Klingelton. »Darf ich Sie bitten, mir einen hübschen Kranz zeigen zu wollen?«

»Begräbnis?«

»Ja.«

Das schwarzgekleidete Fräulein, das vielleicht mit Rücksicht auf den Umstand, daß hier meist Grabkränze verkauft wurden, in seiner Gesamthaltung (selbst die Schere fehlte nicht) etwas ridikül Parzenhaftes hatte, kam alsbald mit einem Immergrünkranze zurück, in den weiße Rosen eingeflochten waren. Zugleich entschuldigte sie sich, daß es nur weiße Rosen seien. Weiße Kamelien stünden höher. Botho seinerseits war zufrieden, enthielt sich aller Ausstellungen und fragte nur, ob er zu dem frischen Kranz auch einen Immortellenkranz haben könne?

Das Fräulein schien über das Altmodische, das sich in dieser Frage kundgab, einigermaßen verwundert, bejahte jedoch und erschien gleich danach mit einem Karton, in dem fünf, sechs Immortellenkränze lagen, gelbe, rote, weiße.

»Zu welcher Farbe raten Sie mir?«

Das Fräulein lächelte: »Immortellenkränze sind ganz außer Mode. Höchstens in Winterzeit... Und dann immer nur...«

»Es wird das beste sein, ich entscheide mich ohne weiteres für diesen hier.« Und damit schob Botho den ihm zunächst liegenden gelben Kranz über den Arm, ließ den von Immergrün mit den weißen Rosen folgen und stieg rasch wieder in seine Droschke. Beide Kränze waren ziemlich groß und fielen auf dem roten Plüschrücksitz, auf dem sie lagen, hinreichend auf, um in Botho die Frage zu wecken, ob er sie nicht lieber dem Kutscher hinüber reichen solle? Rasch aber entschlug er sich dieser Anwandlung wieder und sagte: »Wenn man der alten Frau Nimptsch einen Kranz bringen will, muß man sich auch zu dem Kranz bekennen. Und wer sich dessen schämt, muß es überhaupt nicht versprechen.«

So ließ er denn die Kränze liegen, wo sie lagen, und vergaß ihrer beinah ganz, als sie gleich danach in einen Straßenteil einbogen, der ihn durch seine bunte, hier und da groteske Szenerie von seinen bisherigen Betrachtungen abzog. Rechts, auf wohl fünfhundert Schritt Entfernung hin, zog sich ein Plankenzaun, über den hinweg allerlei Buden, Pavillons und Lampenportale ragten, alle mit einer Welt von Inschriften bedeckt. Die meisten derselben waren neueren und neuesten Datums, einige dagegen, und gerade die größten und buntesten, griffen weit zurück und hatten sich, wenn auch in einem regenverwaschenen Zustande, vom letzten Jahr her gerettet. Mitten unter diesen Vergnügungslokalen und mit ihnen abwechselnd, hatten verschiedene Handwerksmeister ihre Werkstätten aufgerichtet, vorwiegend Bildhauer und Steinmetze, die hier, mit Rücksicht auf die zahlreichen Kirchhöfe, meist nur Kreuze, Säulen und Obelisken ausstellten. All das konnte nicht verfehlen, auf jeden hier des Weges Kommenden einen Eindruck zu machen, und diesem Eindruck unterlag auch Rienäcker, der von seiner Droschke her, unter wachsender Neugier, die nicht endenwollenden und untereinander im tiefsten Gegensatze stehenden Anpreisungen las und die dazu gehörigen Bilder musterte. »Fräulein Rosella das Wundermädchen, lebend zu sehen; Grabkreuze zu billigsten Preisen; amerikanische Schnellphotographie; russisches Ballwerfen, sechs Wurf zehn Pfennig; schwedischer Punsch mit Waffeln; Figaros schönste Gelegenheit oder erster Frisiersalon der Welt; Grabkreuze zu billigsten Preisen; Schweizer Schießhalle:

>   »Schieße gut und schieße schnell,
>   Schieß und triff wie Wilhelm Tell.«

Und darunter Tell selbst mit Armbrust, Sohn und Apfel.

Endlich war man am Ende der langen Bretterwand, und an eben diesem Endpunkte machte der Weg eine scharfe Biegung auf die Hasenheide zu, von deren Schießständen her man in der mittäglichen Stille das Knattern der Gewehre hörte. Sonst blieb alles, auch in dieser Fortsetzung der Straße, so ziemlich dasselbe: Blondin, nur in Trikot und Medaillen gekleidet, stand balancierend auf dem Seil, überall von Feuerwerk umblitzt, während um und neben ihm allerlei kleinere Plakate sowohl Ballonauffahrten wie Tanzvergnügungen ankündigten. Eins lautete: »Sizilianische Nacht. Um zwei Uhr Wiener Bonbonwalzer.«

Botho, der diese Stelle wohl seit Jahr und Tag nicht passiert hatte, las alles mit ungeheucheltem Interesse, bis er nach Passierung der »Heide«, deren Schatten ihn ein paar Minuten lang erquickt hatte, jenseits derselben in den Hauptweg einer sehr belebten und in ihrer Verlängerung auf Rixdorf zulaufenden Vorstadt einbog. Wagen, in doppelter und dreifacher Reihe, bewegten sich vor ihm her, bis mit einem Male alles still stand und der Verkehr stockte. »Warum halten wir?« Aber ehe der Kutscher antworten konnte, hörte Botho schon das Fluchen und Schimpfen aus der Front her und sah, daß alles ineinander gefahren war. Sich vorbeugend und dabei neugierig nach allen Seiten hin ausspähend, würde ihm, bei der ihm eigenen Vorliebe für das Volkstümliche, der ganze Zwischenfall sehr wahrscheinlich mehr Vergnügen als Mißstimmung bereitet haben, wenn ihn nicht ein vor ihm haltender Wagen sowohl durch Ladung wie Inschrift zu trübseliger Betrachtung angeregt hätte. »Glasbruch-Ein- und Verkauf von Max Zippel in Rixdorf« stand in großen Buchstaben auf einem wandartigen Hinterbrett, und ein ganzer Berg von Scherben türmte sich in dem Wagenkasten auf. »Glück und Glas«... Und mit Widerstreben sah er hin und dabei war ihm in allen Fingerspitzen, als schnitten ihn die Scherben.

Endlich aber kam die Wagenreihe nicht nur wieder in Fluß, sondern der Schimmel tat auch sein Bestes, Versäumtes einzuholen, und eine kleine Weile, so hielt man vor einem lehnan gebauten, mit hohem Dach und vorspringendem Giebel ausstaffierten Eckhause, dessen Erdgeschoßfenster so niedrig über der Straße lagen, daß sie mit dieser fast dasselbe Niveau hatten. Ein eiserner Arm streckte sich aus dem Giebel vor und trug einen aufrechtstehenden vergoldeten Schlüssel.

»Was ist das?« fragte Botho.

»Der Rollkrug.«

»Gut. Dann sind wir bald da. Bloß hier noch bergan. Tut mir leid um den Schimmel, aber es hilft nichts.«

Der Kutscher gab dem Pferd einen Knips, und gleich danach fuhren sie die mäßig ansteigende Bergstraße hinauf, an deren einer Seite der *alte,* wegen Überfüllung schon wieder halb geschlossene Jakobikirchhof lag, während an der dem Kirchhofszaun gegenüber gelegenen Seite hohe Mietskasernen aufstiegen.

Vor dem letzten Hause standen umherziehende Spielleute, Horn und Harfe, dem Anscheine nach Mann und Frau. Die Frau sang auch, aber der Wind, der hier ziemlich scharf ging, trieb alles hügelan, und erst als Botho zehn Schritt und mehr an dem armen Musikantenpaare vorüber war, war er in der Lage, Text und Melodie zu hören. Es war dasselbe Lied, das sie damals auf dem Wilmersdorfer Spaziergange so heiter und so glücklich gesungen hatten, und er erhob sich und blickte, wie wenn es ihm nachgerufen würde, nach dem Musikantenpaare zurück. Die standen abgekehrt und sahen nichts; ein hübsches Dienstmädchen aber, das an der Giebelseite des Hauses mit Fensterputzen beschäftigt war und den um- und rückschauhaltenden Blick des jungen Offiziers sich zuschreiben mochte, schwenkte lustig von ihrem Fensterbrett her den Lederlappen und fiel übermütig mit ein: »Ich denke dran, ich danke dir mein Leben, doch *du* Soldat, Soldat denkst *du* daran?«

Botho, die Stirn in die Hand drückend, warf sich in die Droschke zurück und ein Gefühl, unendlich süß und unendlich schmerzlich, ergriff ihn. Aber freilich, das Schmerzliche wog vor und fiel erst ab von ihm, als die Stadt hinter ihm lag und fern am Horizont im blauen Mittagsdämmer die Müggelberge sichtbar wurden.

Endlich hielten sie vor dem neuen Jakobikirchhof.

»Soll ich warten?«

»Ja. Aber nicht hier. Unten beim Rollkrug. Und wenn Sie die Musikantenleute noch treffen... hier, das ist für die arme Frau.«

Zweiundzwanzigstes Kapitel

Botho hatte sich der Führung eines gleich am Kirchhofseingange beschäftigten Alten anvertraut und das Grab der Frau Nimptsch in guter Pflege gefunden: Efeuranken waren eingesetzt, ein Geraniumtopf stand dazwischen und an einem Eisenständerchen hing bereits ein Immortellenkranz. »Ah, Lene«, sagte Botho vor sich hin. »Immer dieselbe... Ich komme zu spät.« Und dann wandte er sich zu dem neben ihm stehenden Alten und sagte: »War wohl bloß 'ne kleine Leiche?«

»Ja, klein war sie man.«

»Drei oder vier?«

»Justement vier. Und versteht sich unser alter Supprendent. Er sprach bloß's Gebet, und die große mittelaltsche Frau, die mit dabei war, so vierzig oder drum rum, die blieb in einem Weinen. Und auch 'ne Jungsche war mit dabei. Die kommt jetzt alle Woche mal und den letzten Sonntag hat sie den Geranium gebracht. Und will auch noch 'n Stein haben, wie sie jetzt Mode sind: grünpoliert mit Namen und Datum drauf.«

Und hiernach zog sich der Alte mit der allen Kirchhofsleuten eigenen Geschäftspolitesse wieder zurück, während Botho seinen Immortellenkranz an den schon vorher von Lene gebrachten anhing, den aus Immergrün und weißen Rosen aber um den Geraniumtopf herumlegte. Dann ging er, nachdem er noch eine Weile das schlichte Grab betrachtet und der guten Frau Nimptsch liebevoll gedacht hatte, wieder auf den Kirchhofsausgang zu. Der Alte, der hier inzwischen seine Spalierarbeit wieder aufgenommen, sah ihm, die Mütze ziehend, nach und beschäftigte sich mit der Frage, was einen so vornehmen Herrn, über dessen Vornehmheit ihm, seinem letzten Händedruck nach, kein Zweifel war, wohl an das Grab der alten Frau geführt haben könne. »Da muß so was sein. Und hat die Droschke nicht warten lassen.« Aber er kam zu keinem Abschluß, und um sich wenigstens auch seinerseits so dankbar wie möglich zu zeigen, nahm er eine der in seiner Nähe stehenden Gießkannen und ging erst auf den kleinen eisernen Brunnen und dann auf das Grab der Frau Nimptsch zu, um den im Sonnenbrand etwas trocken gewordenen Efeu zu bewässern.

Botho war mittlerweile bis an die dicht am Rollkruge haltende Droschke zurückgegangen, stieg hier ein und hielt eine Stunde später wieder in der Landgrafenstraße. Der Kutscher sprang dienstfertig ab und öffnete den Schlag.

»Da«, sagte Botho... »Und dies extra. War ja 'ne halbe Landparie...«

»Na, man kann's auch woll vor 'ne ganze nehmen.«

»Ich verstehe«, lachte Rienäcker. »Da muß ich wohl noch zulegen?«

»Schaden wird's nich... Danke schön, Herr Baron.«

»Aber nun futtert mir auch den Schimmel besser raus. Is ja ein Jammer.«

Und er grüßte und stieg die Treppe hinauf.

Oben in seiner Wohnung war es still, selbst die Dienstboten waren fort, weil sie wußten, daß er um diese Zeit immer im Klub war. Wenigstens seit seinen Strohwitwertagen. »Unzuverlässiges Volk«, brummte er vor sich hin und schien ärgerlich. Trotzdem war es ihm lieb, allein zu sein. Er wollte niemand sehn und setzte sich draußen auf den Balkon, um so vor sich hin zu träumen. Aber es war stickig unter der herabgelassenen Marquise, dran zum Überfluß auch noch lange blauweiße Fransen hingen, und so stand er wieder auf, um die große Leinwand in die Höh zu ziehn. Das half. Die sich nun einstellende frische Luftströmung tat ihm wohl, und aufatmend und bis an die Brüstung hervortretend, sah er über Feld und Wald hin bis auf die Charlottenburger Schloßkuppel, deren malachitfarbene Kupferbekleidung im Glanz der Nachmittagssonne schimmerte.

»Dahinter liegt Spandau«, sprach er vor sich hin. »Und hinter Spandau zieht sich ein Bahndamm und ein Schienengeleise, das bis an den Rhein läuft. Und auf dem Geleise seh' ich einen Zug, viele Wagen, und in einem der Wagen sitzt Käthe. Wie sie wohl aussehen mag? O gut; gewiß. Und wovon sie wohl sprechen mag? Nun, ich denke mir von allerlei: pikante Badegeschichten und vielleicht auch von Frau Salingers Toiletten, und daß es in Berlin doch eigentlich am besten sei. Und muß ich mich nicht freuen, daß sie wiederkommt? Eine so hübsche Frau, so jung, so glücklich, so heiter. Und ich freue mich auch. Aber *heute* darf sie nicht kommen. Um Gottes willen nicht. Und doch ist es ihr zuzutrauen. Sie hat seit drei Tagen nicht geschrieben und steht noch ganz auf dem Standpunkt der Überraschungen.«

Er hing dem noch eine Weile nach, dann aber wechselten die Bilder und längst Zurückliegendes trat statt Käthes wieder vor seine Seele: Der Dörrsche Garten, der Gang nach Wilmersdorf, die Partie nach Hankels Ablage. Das war der letzte schöne Tag gewesen, die letzte glückliche Stunde... »Sie sagte damals, daß ein Haar zu fest binde, darum weigerte sie sich und wollt' es nicht. Und ich? warum bestand ich darauf? Ja, es gibt solche rätselhaften Kräfte, solche Sympathien aus Himmel oder Hölle, und nun bin ich gebunden und kann nicht los. Ach, sie war so lieb und gut an jenem Nachmittag, als wir noch allein waren und an Störung nicht dachten, und ich vergesse das Bild nicht, wie sie da zwischen den Gräsern stand und nach rechts und links hin die Blumen pflückte. Die Blumen – ich habe sie noch. Aber ich will ein Ende damit machen. Was sollen mir diese toten Dinge, die mir nur Unruhe stiften und mir mein bißchen Glück und meinen Ehefrieden kosten, wenn je ein fremdes Auge darauf fällt.«

Und er erhob sich von seinem Balkonplatz und ging, durch die ganze Wohnung hin, in sein nach dem Hofe hinaus gelegenes Arbeitszimmer, das des Morgens in heller Sonne, jetzt aber in tiefem Schatten lag. Die Kühle tat ihm wohl, und er trat an einen eleganten, noch aus seiner Junggesellenzeit herstammenden Schreibtisch heran, dessen Ebenholzkästchen mit allerlei kleinen Silbergirlanden ausgelegt waren. In der Mitte dieser Kästchen aber baute sich ein mit einem Giebelfeld ausgestattetes und zur Aufbewahrung von Wertsachen dienendes Säulentempelchen auf, dessen nach hinten zu gelegenes Geheimfach durch eine Feder geschlossen wurde. Botho drückte jetzt auf die Feder und nahm, als das Fach aufsprang, ein kleines Briefbündel heraus, das mit einem roten Faden umwunden war, obenauf aber, und, wie nachträglich eingeschoben, lagen die Blumen, von denen er eben gesprochen. Er wog das Päckchen in Händen und sagte, während er den Faden ablöste: »Viel Freud, viel Leid. Irrungen, Wirrungen. Das alte Lied.«

Er war allein und an Überraschung nicht zu denken. In seiner Vorstellung aber immer noch nicht sicher genug, stand er auf und schloß die Tür. Und nun erst nahm er den obenauf liegenden Brief und las. Es waren die den Tag vor dem Wilmersdorfer Spaziergange geschriebenen Zeilen, und mit Rührung sah er jetzt im Wiederlesen auf alles das, was er damals mit einem Bleistiftstrichelchen bezeichnet hatte. »Stiehl... Alleh... Wie diese liebenswürdigen ›h's‹ mich auch heute wieder anblicken, besser als alle Orthographie der Welt. Und wie klar die Handschrift. Und wie gut und schelmisch, was sie da schreibt. Ach, sie hatte die glücklichste Mischung und war vernünftig und leidenschaftlich zugleich. Alles, was sie sagte, hatte Charakter und Tiefe des Gemüts. Arme Bildung, wie weit bleibst du dahinter zurück.«

Er nahm nun auch den zweiten Brief und wollte sich überhaupt vom Schluß her bis an den Anfang der Korrespondenz durchlesen. Aber es tat ihm zu weh. »Wozu? Wozu beleben und auffrischen, was tot ist und tot bleiben muß? Ich muß aufräumen damit und dabei hoffen, daß mit diesen Trägern der Erinnerung auch die Erinnerungen selbst hinschwinden werden.«

Und wirklich, er war entschlossen, und sich rasch von seinem Schreibtisch erhebend, schob er einen Kaminschirm beiseite und trat an den kleinen Herd, um die Briefe darauf zu verbrennen. Und siehe da, langsam, als ob er sich das Gefühl des süßen Schmerzes verlängern wolle, ließ er jetzt Blatt auf Blatt auf die Herdstelle fallen und in Feuer aufgehen. Das letzte, was er in Händen hielt, war das Sträußchen, und während er sann und grübelte, kam ihm eine Anwandlung, als ob er jede Blume noch einmal einzeln betrachten und zu diesem Zwecke das Haarfädchen lösen müsse. Plötzlich aber, wie von abergläubischer Furcht erfaßt, warf er die Blumen den Briefen nach.

Ein Aufflackern noch und nun war alles vorbei, verglommen.

»Ob ich nun frei bin?... Will ich's denn? Ich will es *nicht*. Alles Asche. Und *doch* gebunden.«

Dreiundzwanzigstes Kapitel

Botho sah in die Asche. »Wie wenig und wie viel.« Und dann schob er den eleganten Kaminschirm wieder vor, in dessen Mitte sich die Nachbildung einer pompejanischen Wandfigur befand. Hundertmal war sein Auge darüber hinweg geglitten, ohne zu beachten, was es eigentlich sei, heute sah er es und sagte: »Minerva mit Schild und Speer. Aber Speer bei Fuß. Vielleicht bedeutet es Ruhe... Wär' es so.« Und dann stand er auf, schloß das um seinen besten Schatz ärmer gewordene Geheimfach und ging wieder nach vorn.

Unterwegs, auf dem ebenso schmalen wie langen Korridore, traf er Köchin und Hausmädchen, die diesen Augenblick erst von einem Tiergartenspaziergange zurückkamen. Als er beide verlegen und ängstlich dastehen sah, überkam ihn ein menschlich Rühren, aber er bezwang sich und rief sich zu, wenn auch freilich mit einem Anfluge von Ironie, »daß endlich einmal ein Exempel statuiert werden müsse«. So begann er denn, so gut er konnte, die Rolle des donnernden Zeus zu spielen. Wo sie nur gesteckt hätten. Ob das Ordnung und gute Sitte sei? Er habe nicht Lust, der gnädigen Frau, wenn sie zurückkomme (vielleicht heute schon), einen aus Rand und Band gegangenen Hausstand zu überliefern. Und der Bursche? »Nun, ich will nichts wissen, nichts hören, am wenigsten Entschuldigungen.« Und als dies heraus war, ging er weiter und lächelte, zumeist über sich selbst. »Wie leicht ist doch predigen und wie schwer ist danach handeln und tun. Armer Kanzelheld ich! Bin ich nicht selbst aus Rand und Band? Bin ich nicht selber aus Ordnung und guter Sitte? Daß es war, das möchte gehn, aber daß es noch ist, das ist das schlimme.«

Dabei nahm er wieder seinen Platz auf dem Balkon und klingelte. Jetzt kam auch der Bursche, fast noch ängstlicher und verlegener als die Mädchen, aber es hatte keine Not mehr, das Wetter war vorüber. »Sage der Köchin, daß ich etwas essen will. Nun, warum stehst du noch? Ah, ich sehe schon (und er lachte), nichts im Hause. Trifft sich alles vorzüglich... – Also Tee; bringe mir Tee, *der* wird doch wohl da sein. Und laß ein paar Schnitten machen; alle Wetter, ich habe Hunger... Und sind die Abendzeitungen schon da?«

»Zu Befehl, Herr Rittmeister.«

Nicht lange, so war der Teetisch draußen auf dem Balkon serviert, und selbst ein Imbiß hatte sich gefunden. Botho saß, zurückgelehnt in den Schaukelstuhl, und starrte nachdenklich in die kleine blaue Flamme. Dann nahm er zunächst den Moniteur seiner kleinen Frau, das »Fremdenblatt«, und erst in weiterer Folge die »Kreuzzeitung« zur Hand und sah auf die letzte Seite. »Gott, wie wird Käthe sich freuen, diese letzte Seite jeden Tag wieder frisch an der Quelle studieren zu können, will sagen zwölf Stunden früher als in Schlangenbad. Und hat sie nicht recht? ›Unsre heut' vollzogene eheliche Verbindung beehren sich anzuzeigen Adalbert von Lichterloh, Regierungsreferendar und Leutnant der Reserve, Hildegard von Lichterloh, geb. Holtze.‹ Wundervoll. Und wahrhaftig zu sehn, wie sich's weiter lebt und liebt in der Welt, ist eigentlich das Beste. Hochzeit und Kindtaufen! Und ein paar Todesfälle dazwischen. Nun, die braucht man ja nicht zu lesen, Käthe tut es nicht' und ich tu es auch nicht, und bloß wenn die Vandalen mal einer ihrer ›alten Herrn‹ verloren haben und ich das Korpszeichen inmitten der Trauer-Annonce sehe, das les' ich, das erheitert mich und ist mir immer, als ob der alte Korpskämpe zu Hofbräu nach Walhalla geladen wäre. Spatenbräu paßt eigentlich noch besser.«

Er legte das Blatt wieder beiseit, weil es klingelte... »Sollte sie wirklich...« Nein, es war nichts, bloß eine vom Wirt heraufgeschickte Suppenliste, drauf erst fünfzig Pfennig gezeichnet standen. Aber den ganzen Abend über blieb er trotzdem in Aufregung, weil ihm beständig die Möglichkeit einer Überraschung vorschwebte, und sooft er eine Droschke mit einem Koffer vorn und einem Damenreisehut dahinter in die Landgrafenstraße einbiegen sah, rief er sich zu: »Das ist sie; sie liebt dergleichen, und ich höre sie schon sagen: ich dacht' es mir so komisch, Botho.«

Käthe war nicht gekommen. Statt ihrer kam am anderen Morgen ein Brief, worin sie ihre Rückkehr für den dritten Tag anmeldete. »Sie werde wieder mit Frau Salinger reisen, die doch, alles in allem, eine sehr nette Frau sei, mit viel guter Laune, viel Chic und viel Reisekomfort.«

Botho legte den Brief aus der Hand und freute sich momentan ganz aufrichtig, seine schöne junge Frau binnen drei Tagen wiederzusehen. »Unser Herz hat Platz für allerlei Widersprüche... Sie dalbert, nun ja, aber eine dalbrige junge Frau ist immer noch besser als keine.«

Danach rief er die Leute zusammen und ließ sie wissen, daß die gnädige Frau in drei Tagen wieder da sein werde; sie sollten alles instand setzen und die Schlösser putzen. Und kein Fliegenfleck auf dem großen Spiegel.

Als er so Vorkehrungen getroffen, ging er zum Dienst in die Kaserne. »Wenn wer fragt, ich bin von fünf an wieder zu Haus.«

Sein Programm für die zwischenliegende Zeit ging dahin, daß er bis Mittag auf dem Eskadronhofe bleiben, dann ein paar Stunden reiten und nach dem Ritt im Klub essen wollte. Wenn er niemand anders dort traf, so traf er doch Balafré, was gleichbedeutend war mit Whist en deux und einer Fülle von Hofgeschichten, wahren und unwahren. Denn Balafré, so zuverlässig er war, legte doch grundsätzlich eine Stunde des Tags für Humbug und Aufschneiderei an. Ja, diese Beschäftigung stand ihm, nach Art eines geistigen Sports, unter seinen Vergnügungen obenan.

Und wie das Programm war, so wurd' es auch ausgeführt. Die Hofuhr in der Kaserne schlug eben zwölf, als er sich in den Sattel hob und nach Passierung erst der »Linden« und gleich danach der Luisenstraße, schließlich in einen neben dem Kanal hinlaufenden Weg einbog, der weiterhin seine Richtung auf Plötzensee zu nahm. Dabei kam ihm der Tag wieder in Erinnerung, an dem er hier auch herumgeritten war, um sich Mut für den Abschied von Lene zu gewinnen, für den Abschied, der ihm so schwer ward und der doch sein mußte. Das war nun drei Jahre. Was lag alles dazwischen? Viel Freude; gewiß. Aber es war doch keine rechte Freude gewesen. Ein Bonbon, nicht viel mehr. Und wer kann von Süßigkeiten leben!

Er hing dem noch nach, als er auf einem von der Jungfernheide her nach dem Kanal hinüberführenden Reitwege zwei Kameraden herankommen sah, Ulanen, wie die deutlich erkennbaren Tschapkas schon von fernher verrieten. Aber wer waren sie? Freilich, die Zweifel auch darüber konnten nicht lange währen, und noch ehe man sich von hüben und drüben bis auf hundert Schritt genähert hatte, sah Botho, daß es die Rexins waren, Vettern, und beide vom selben Regiment.

»Ah, Rienäcker«, sagte der Ältere. »Wohin?«

»Soweit der Himmel blau ist.«

»Das ist mir zu weit.«

»Nun dann bis Saatwinkel.«

»Das läßt sich hören. Da bin ich mit von der Partie, vorausgesetzt, daß ich nicht störe...«

Kurt (und hiermit wandt er sich an seinen jüngeren Begleiter), Pardon! Aber ich habe mit Rienäcker zu sprechen. Und unter Umständen...«

»...Spricht sich's besser zu zweien. Ganz nach deiner Bequemlichkeit, Bozel«, und dabei grüße Kurt von Rexin und ritt weiter.

Der mit Bozel angeredete Vetter aber warf sein Pferd herum, nahm die linke Seite neben dem ihm in der Rangliste weit vorstehenden Rienäcker und sagte: »Nun denn also Staatwinkel. In die Tegeler Schußlinie werden wir ja wohl nicht einreiten.«

»Ich werd' es wenigstens zu vermeiden suchen«, entgegnete Rienäcker, »erstens mir selbst und zweitens Ihnen zuliebe. Und drittens und letztens um Henriettens willen. Was würde die schwarze Henriette sagen, wenn ihr ihr Bogislaw totgeschossen würde, und noch dazu durch eine befreundete Granate?«

»Das würd' ihr freilich einen Stich ins Herz geben«, erwiderte Rexin, »und ihr und mir einen Strich durch die Rechnung machen.«

»Durch welche Rechnung?«

»Das ist eben der Punkt, Rienäcker, über den ich mit Ihnen sprechen wollte.«

»Mit mir? Und von welchem Punkte?«

»Sie sollten es eigentlich erraten und ist auch nicht schwer. Ich spreche natürlich von einem Verhältnis, meinem Verhältnis.«

»Verhältnis!« lachte Botho. »Nun, ich stehe zu Diensten, Rexin. Aber offen gestanden, ich weiß nicht recht, was speziell mir Ihr Vertrauen einträgt. Ich bin nach keiner Seite hin, am wenigsten aber nach dieser, eine besondere Weisheitsquelle. Da haben wir ganz andere Autoritäten. Eine davon kennen Sie gut. Noch dazu Ihr und Ihres Vetters besonderer Freund.«

»Balafré?«

»Ja.«

Rexin fühlte was von Nüchternheit und Ablehnung heraus und schwieg einigermaßen verstimmt. Das aber war mehr, als Botho bezweckt hatte, weshalb er sofort wieder einlenkte. »Verhältnisse. Pardon, Rexin, es gibt ihrer so viele.«

»Gewiß. Aber so viel ihrer sind, so verschieden sind sie auch.«

Botho zuckte mit den Achseln und lächelte. Rexin aber, sichtlich gewillt, sich nicht zum zweiten Male durch Empfindelei stören zu lassen, wiederholte nur in gleichmütigem Tone: »Ja, so viel ihrer, so verschieden auch. Und ich wundre mich, Rienäcker, gerade Sie mit den Achseln zucken zu sehn. Ich dachte mir...«

»Nun denn heraus mit der Sprache.«

»Soll geschehn.«

Und nach einer Weile fuhr Rexin fort: »Ich habe die hohe Schule durchgemacht, bei den Ulanen und schon vorher (Sie wissen, daß ich erst spät dazu kam) in Bonn und Göttingen, und brauche keine Lehren und Ratschläge, wenn sich's um das Übliche handelt. Aber wenn ich mich ehrlich befrage, so handelt sich's in meinem Falle nicht um das Übliche, sondern um einen Ausnahmefall.«

»Glaubt jeder.«

»Kurz und gut, ich fühle mich engagiert, mehr als das, ich liebe Henrietten, oder um Ihnen so recht meine Stimmung zu zeigen, ich liebe die schwarze Jette. Ja, dieser anzügliche Trivialname mit seinem Anklang an Kantine paßt mir am besten, weil ich alle feierlichen Allüren in dieser Sache vermeiden möchte. Mir ist ernsthaft genug zumut, und weil mir ernsthaft zumut ist, kann ich alles, was wie Feierlichkeit und schöne Redensart aussieht, nicht brauchen. Das schwächt bloß ab.«

Botho nickte zustimmend und entschlug sich mehr und mehr jedes Anfluges von Spott und Superiorität, den er bis dahin allerdings gezeigt hatte.

»Jette«, fuhr Rexin fort, »stammt aus keiner Ahnenreihe von Engeln und ist selber keiner. Aber wo findet man dergleichen? In unsrer Sphäre? Lächerlich. Alle diese Unterschiede sind ja gekünstelt, und die gekünsteltsten liegen auf dem Gebiete der Tugend. Natürlich gibt es Tugend und ähnliche schöne Sachen, aber Unschuld und Tugend sind wie Bismarck und Moltke, das heißt rar. Ich habe mich ganz in Anschauungen wie diese hineingelebt, halte sie für richtig und habe vor, danach zu handeln, soweit es geht. Und nun hören Sie, Rienäcker. Ritten wir hier statt an diesem langweiligen Kanal, so langweilig und strippengerade wie die Formen und Formeln unsrer Gesellschaft, ich sage, ritten wir hier statt an diesem elenden Graben am Sacramento hin und hätten wir statt der Tegeler Schießstände die Diggings vor uns, so würd' ich die Jette freiweg heiraten; ich kann ohne sie nicht leben, sie hat es mir angetan, und ihre Natürlichkeit, Schlichtheit und wirkliche Liebe wiegen mir zehn Komtessen auf. Aber es geht nicht. Ich kann es meinen Eltern nicht antun und mag auch nicht mit siebenundzwanzig aus dem Dienst heraus, um in Texas Cowboy zu werden oder Kellner auf einem Mississippidampfer. Also Mittelkurs…«

»Was verstehen Sie darunter?«

»Einigung ohne Sanktion.«

»Also Ehe ohne Ehe.«

»Wenn Sie wollen, ja. Mir liegt nichts am Wort, ebensowenig wie an Legalisierung, Sakramentierung, oder wie sonst noch diese Dinge heißen mögen; ich bin etwas nihilistisch angeflogen und habe keinen rechten Glauben an pastorale Heiligsprechung. Aber, um's kurz zu machen, ich bin, weil ich nicht anders kann, für Monogamie, nicht aus Gründen der Moral, sondern aus Gründen meiner mir eingeborenen Natur. Mir widerstehn alle Verhältnisse, wo knüpfen und lösen sozusagen in dieselbe Stunde fällt, und wenn ich mich eben einen Nihilisten nannte, so kann ich mich mit noch größerem Recht einen Philister nennen. Ich sehne mich nach einfachen Formen, nach einer stillen, natürlichen Lebensweise, wo Herz zum Herzen spricht und wo man das Beste hat, was man haben kann, Ehrlichkeit, Liebe, Freiheit.«

»Freiheit«, wiederholte Botho.

»Ja, Rienäcker. Aber weil ich wohl weiß, daß auch Gefahren dahinter lauern und dies Glück der Freiheit, vielleicht aller Freiheit, ein zweischneidig Schwert ist, das verletzen kann, man weiß nicht wie, so hab' ich Sie fragen wollen.«

»Und ich will Ihnen antworten«, sagte der mit jedem Augenblick ernster gewordene Rienäcker, dem bei diesen Konfidenzen das eigne Leben, das zurückliegende wie das gegenwärtige, wieder vor die Seele treten mochte. »Ja, Rexin, ich will Ihnen antworten, so gut ich kann, und ich glaube, daß ich es kann. Und so beschwör' ich Sie denn, bleiben Sie davon. Bei dem, was Sie vorhaben, ist immer nur zweierlei möglich, und das eine ist gerade so schlimm wie das andre. Spielen Sie den Treuen und Ausharrenden oder was dasselbe sagen will, brechen Sie von Grund aus mit Stand und Herkommen und Sitte, so werden Sie, wenn Sie nicht versumpfen, über kurz oder lang sich selbst ein Greuel und eine Last sein; verläuft es aber anders und schließen Sie, wie's die Regel ist, nach Jahr und Tag Ihren Frieden mit Gesellschaft und Familie, dann ist der Jammer da, dann muß gelöst werden, was durch glückliche Stunden und ach, was mehr bedeutet, durch unglückliche, durch Not und Ängste verwebt und verwachsen ist. Und das tut weh.«

Rexin schien antworten zu wollen, aber Botho sah es nicht und fuhr fort: »Lieber Rexin, Sie haben vorhin in einem wahren Musterstücke dezenter Ausdrucksweise von Verhältnissen gesprochen, ›wo knüpfen und lösen in dieselbe Stunde fällt‹, aber diese Verhältnisse, die keine sind, sind nicht die schlimmsten, die schlimmsten sind die, die, um Sie noch mal zu zitieren, den ›Mittelkurs‹ halten. Ich warne Sie, hüten Sie sich vor diesem Mittelkurs, hüten Sie sich vor dem Halben. Was Ihnen Gewinn dünkt, ist Bankrott, und was Ihnen Hafen scheint, ist Scheiterung. Es führt *nie* zum Guten, auch wenn äußerlich alles glatt abläuft und keine Verwünschung ausgesprochen und kaum ein stiller Vorwurf erhoben wird. Und es kann auch nicht anders sein. Denn alles hat seine natürliche Konsequenz, dessen müssen wir eingedenk sein. Es kann nicht ungeschehen gemacht werden, und ein Bild, das uns in die Seele gegraben wurde, verblaßt nie ganz wieder, schwindet nie ganz wieder dahin. Erinnerungen bleiben und Vergleiche kommen. Und so denn noch einmal, Freund, zurück von Ihrem Vorhaben oder Ihr Leben empfängt eine Trübung, und Sie ringen sich nie mehr zur Klarheit und Helle durch. Vieles ist erlaubt, nur nicht das, was die Seele trifft, nur nicht Herzen hineinziehen, und wenn's auch bloß das eigne wäre.«

Vierundzwanzigstes Kapitel

Am dritten Tage traf ein im Abreisemoment aufgegebenes Telegramm ein: »Ich komme heut abend. K.«

Und wirklich, sie kam. Botho war am Anhalter Bahnhof und wurde der Frau Salinger vorgestellt, die von Dank für gute Reisekameradschaft nichts hören wollte, vielmehr immer nur wiederholte, wie glücklich sie gewesen sein, vor allem aber, wie glücklich er sein müsse, solche reizende junge Frau zu haben. »Schaun's, Herr Baron, wann i das Glück hätt und der Herr Gemoahl wär, i würd mi kein drei Tag von solch ane Frau trenne.« Woran sie dann Klagen über die gesamte Männerwelt, aber im selben Augenblick auch eine dringende Einladung nach Wien knüpfte. »Wir hoab'n a nett's Häusl kei Stund von Wian und a paar Reitpferd und a Küch'. In Preußen hoaben's die Schul und in Wien hoaben wir die Küch'. Und i weiß halt nit, was i vorzieh.«

»Ich weiß es«, sagte Käthe, »und ich glaube Botho auch.«

Damit trennte man sich, und unser junges Paar stieg in einen offenen Wagen, nachdem Ordre gegeben war, das Gepäck nachzuschikken.

Käthe warf sich zurück und stemmte den kleinen Fuß gegen den Rücksitz, auf dem ein Riesenbukett, die letzte Huldigung der von der reizenden Berliner Dame ganz entzückten Schlangenbader Hauswirtin, lag. Käthe selbst nahm Bothos Arm und schmiegte sich an ihn, aber auf wenig Augenblicke nur, dann richtete sie sich wieder auf und sagte, während sie mit dem Sonnenschirm das immer aufs neue herunterfallende Bukett festhielt: »Es ist doch eigentlich reizend hier, all die Menschen und die vielen Spreekähne, die vor Enge nicht ein noch aus wissen. Und so wenig Staub. Ich find' es doch einen rechten Segen, das sie jetzt sprengen und alles unter Wasser setzen; freilich lange Kleider darf man dabei nicht tragen. Und sieh nur den Brotwagen da mit dem vorgespannten Hund. Es ist doch zu komisch. Nur der Kanal... Ich weiß nicht, er ist immer noch so...«

»Ja«, lachte Botho, »er ist immer noch so. Vier Wochen Julihitze haben ihn nicht verbessern können.«

Sie fuhren unter den jungen Bäumen hin; Käthe riß ein Lindenblatt ab, nahm's in die hohle Hand und schlug drauf, daß es knallte. »So machten wir's immer zu Haus. Und in Schlangenbad, wenn wir nichts Besseres zu tun hatten, haben wir's auch so gemacht und alle die Spielereien aus der Kinderzeit wieder aufgenommen. Kannst du dir's denken, ich hänge ganz ernsthaft an solchen Torheiten und bin doch eigentlich eine alte Person und habe abgeschlossen.«

»Aber Käthe...«

»Ja, ja, Matrone, du wirst es sehn... Aber sieh doch nur, Botho, da ist ja noch der Staketenzaun und das alte Weißbierlokal mit dem komischen und etwas unanständigen Namen, über den wir in der Pension immer so schrecklich gelacht haben. Ich dachte, das Lokal wäre längst eingegangen. Aber so was lassen sich die Berliner nicht nehmen, so was hält sich; alles muß nur einen sonderbaren Namen haben, über den sie sich amüsieren können.«

Botho schwankte zwischen Glücklichsein und Anflug von Verstimmung. »Ich finde, du bist ganz unverändert, Käthe.«

»Gewiß bin ich. Und warum sollt ich auch verändert sein? Ich bin ja nicht nach Schlangenbad geschickt worden, um mich zu verändern, wenigstens nicht in meinem Charakter und meiner Unterhaltung. Und ob ich mich sonst verändert habe? Nun, cher ami, nous verrons.«

»Matrone?«

Sie hielt ihm den Finger auf den Mund und schlug den Reiseschleier wieder zurück, der ihr halb über das Gesicht gefallen war, gleich danach aber passierten sie den Potsdamer Bahnviadukt, über dessen Eisengebälk eben ein Kurierzug hinbrauste. Das gab ein Zittern und Donnern zugleich, und als sie die Brücke hinter sich hatten, sagte sie: »Mir ist es immer unangenehm, gerade drunter zu sein.«

»Aber die drüber haben es nicht besser.«

»Vielleicht nicht. Aber es liegt in der Vorstellung. Vorstellungen sind überhaupt so mächtig. Meinst du nicht auch?« Und sie seufzte, wie wenn sich ihr plötzlich etwas Schreckliches und tief in ihr Leben Eingreifendes vor die Seele gestellt hätte. Dann aber fuhr sie fort: »In England, so sagte mir Mr. Armstrong, eine Badebekanntschaft, von der ich dir noch ausführlicher erzählen muß, übrigens mit einer Alvensleben verheiratet, in England, sagte er, würden die Toten fünfzehn Fuß tief begraben. Nun fünfzehn Fuß tief ist nicht schlimmer als fünf, aber ich fühlte ordentlich, während er mir's erzählte, wie sich mir der clay, das ist nämlich das richte englische Wort, zentnerschwer auf die Brust legte. Denn in England haben sie schweren Lehmboden.«

»Armstrong sagtest du... Bei den badischen Dragonern war ein Armstrong.«

»Ein Vetter von dem. Sie sind alle Vettern, ganz wie bei uns. Ich freue mich schon, dir ihn in all seinen kleinen Eigenheiten schildern zu können. Ein vollkommener Kavalier mit aufgesetztem Schnurrbart, worin er freilich etwas zu weit ging. Es sah sehr komisch aus, diese gewribbelte Spitze, dran er immer noch weiter wribbelte.«

Zehn Minuten später hielt ihr Wagen vor ihrer Wohnung, und Botho, während er ihr den Arm reichte, führte sie hinauf. Eine Girlande zog sich um die große Korridortür, und eine Tafel mit dem Inschriftsworte Willkommen, in dem leider ein ›l‹ fehlte, hing etwas schief an der Girlande. Käthe sah hinauf und las und lachte.

»Willkommen! Aber bloß mit einem ›l‹, will sagen nur halb. Ei, ei. Und ›L‹ ist noch dazu der Liebesbuchstabe. Nun, du sollst auch alles nur halb haben.«

Und so trat sie durch die Tür in den Korridor ein, wo Köchin und Hausmädchen bereits standen und ihr die Hand küßten.

»Guten Tag, Berta; guten Tag, Minette. Ja, Kinder, da bin ich wieder. Nun, wie findet ihr mich? Hab' ich mich erholt?« Und eh die Mädchen antworten konnten, worauf auch gar nicht gerechnet war, fuhr sie fort: »Aber ihr habt euch erholt. Namentlich du, Minette, du bist ja ordentlich stark geworden.«

Minette sah verlegen vor sich hin, weshalb Käthe gutmütig hinzusetzte: »Ich meine nur hier so um Kinn und Hals.«

Indem kam auch der Bursche. »Nun, Orth, ich war schon in Sorge um Sie. Gott sei Dank, ohne Not; ganz unverfallen, bloß ein bißchen bläßlich. Aber das macht die Hitze. Und immer noch dieselben Sommersprossen.«

»Ja, gnädige Frau, *die* sitzen.«

»Nun, das ist recht. Immer echt in der Farbe.«

Unter solchem Gespräche war sie bis in ihr Schlafzimmer gegangen, wohin Botho und Minette ihr folgten, während die beiden andern sich in ihre Küchenregion zurückzogen.

»Nun, Minette, hilf mir. Erst den Mantel. Und nun nimm den Hut. Aber sei vorsichtig, wir wissen uns sonst vor Staub nicht zu retten. Und nun sage Orth, daß er den Tisch deckt vorn auf dem Balkon, ich habe den ganzen Tag keinen Bissen genossen, weil ich wollte, daß es mir recht gut bei euch schmecken solle. Und nun geh, liebe Seele; geh, Minette.«

Minette beeilte sich und ging, während Käthe vor dem hohen Stehspiegel stehenblieb und sich das in Unordnung geratene Haar arrangierte. Zugleich sah sie im Spiegel auf Botho, der neben ihr stand und die schöne junge Frau musterte.

»Nun, Botho«, sagte sie schelmisch und kokett und ohne sich nach ihm umzusehen.

Und ihre liebenswürdige Koketterie war klug genug berechnet, und er umarmte sie, wobei sie sich seinen Liebkosungen überließ. Und nun umspannte er ihre Taille und hob sie hoch in die Höh.

»Käthe, Puppe, liebe Puppe.«

»Puppe, liebe Puppe, das sollt' ich eigentlich übelnehmen, Botho. Denn mit Puppen spielt man. Aber ich nehm' es nicht übel, im Gegenteil. Puppen werden am meisten geliebt und am besten behandelt. Und darauf kommt es mir an.«

Fünfundzwanzigstes Kapitel

Es war ein herrlicher Morgen, der Himmel halb bewölkt, und in dem leisen Westwinde, der ging, saß das junge Paar auf dem Balkon und sah, während Minette den Kaffeetisch abräumte, nach dem Zoologischen und seinen Elefantenhäusern hinüber, deren bunte Kuppeln im Morgendämmer lagen.

»Ich weiß eigentlich noch nichts«, sagte Botho, »du bist ja gleich eingeschlafen, und der Schlaf ist mir heilig. Aber nun will ich auch alles wissen. Erzähle.«

»Ja, erzählen; was soll ich erzählen? Ich habe dir ja so viele Briefe geschrieben, und Anna Grävenitz und Frau Salinger mußt du ja so gut kennen wie ich oder eigentlich noch besser, denn ich habe mitunter mehr geschrieben, als ich wußte.«

»Wohl. Aber ebenso oft hieß es, ›davon mündlich‹. Und dieser Moment ist nun da, sonst denk' ich, du willst mir etwas verschweigen. Von deinen Ausflügen weiß ich eigentlich gar nichts, und du warst doch in Wiesbaden. Es heißt zwar, daß es in Wiesbaden nur Obersten und alte Generale gäbe, aber es sind doch auch Engländer da. Und bei Engländern fällt mir wieder dein Schotte ein, von dem du mir erzählen wolltest. Wie hieß er doch?

»Armstrong; Mr. Armstrong. Ja, das war ein entzückender

Mann, und ich begriff seine Frau nicht, eine Alvensleben, wie ich dir, glaub' ich, schon sagte, die beständig in Verlegenheit kam, wenn er sprach. Und er war doch ein vollkommener Gentleman, der sehr auf sich hielt, auch dann noch, wenn er sich gehenließ und eine gewisse Nonchalance zeigte. Gentlemen bewähren sich in solchen Momenten immer am besten. Meinst du nicht auch? Er trug einen blauen Schlips und einen gelben Sommeranzug und sah aus, als ob er darin eingenäht wäre, weshalb Anna Grävenitz immer sagte: Da kommt das Pennal. Und immer ging er mit einem großen aufgespannten Sonnenschirm, was er sich in Indien angewöhnt hatte. Denn er war Offizier in einem schottischen Regiment, das lange in Madras oder Bombay gestanden, oder vielleicht war es auch Delhi. Das ist aber am Ende gleich. Was *der* alles erlebt hatte! Seine Konversation war reizend, wenn man auch mitunter nicht wußte, wie man's nehmen sollte.«

»Also zudringlich? Insolent?«

»Ich bitte dich, Botho, wie du nur sprichst. Ein Mann wie der; Kavalier comme il faut. Nun, ich will dir ein Beispiel von seiner Art zu sprechen geben. Uns gegenüber saß die alte Generalin von Wedell, und Anna Grävenitz fragte sie (ich glaube, es war gerade der Jahrestag von Königgrätz), ob es wahr sei, daß dreiunddreißig Wedells im Siebenjährigen Kriege gefallen seien? was die alte Generalin bejahte, hinzusetzend, es wären eigentlich noch einige mehr gewesen. Alle, die zunächst saßen, waren über die große Zahl erstaunt, nur Mr. Armstrong nicht, und als ich ihn wegen seiner Gleichgültigkeit scherzhaft zur Rede stellte, sagte er, daß er sich über so kleine Zahlen nicht aufregen könne. ›Kleine Zahlen‹, unterbrach ich ihn, aber er setzte lachend, und um mich zu widerlegen, hinzu: von den Armstrongs seien einhundertdreiunddreißig in den verschiedenen Kriegsfehden seines Clans umgekommen. Und als die alte Generalin dies anfangs nicht glauben wollte, schließlich aber (als Mr. A. dabei beharrte), neugierig frug: ob denn alle hundertdreiunddreißig auch wirklich ›gefallen seien‹? sagte er: ›Nein, meine Gnädigste, nicht gerade gefallen, die meisten sind wegen Pferdediebstahl von den Engländern, unseren damaligen Feinden gehenkt worden.‹ Und als sich alles über dies unstandesgemäße, ja, man kann wohl sagen, etwas genierliche Gehenktwerden entsetzte, schwor er, wir täten unrecht, Anstoß daran zu nehmen, die Zeiten und Anschauungen änderten sich, und was seine doch zunächst beteiligte Familie betreffe, so sähe dieselbe mit Stolz auf diese Heldenvorfahren zurück. Die schottische Kriegführung habe dreihundert Jahre lang aus Viehraub und

Pferdediebstahl bestanden, ländlich sittlich, und er könne nicht finden, daß ein großer Unterschied sei zwischen Länderraub und Viehraub.«

»Verkappter Welfe«, sagte Botho. »Aber es hat manches für sich.«

»Gewiß. Und ich stand immer auf seiner Seite, wenn er sich in solchen Sätzen erging. Ach, er war zum Totlachen. Er sagte, man müsse nichts feierlich nehmen, es verlohne sich nicht, und nur das Angeln sei eine ernste Beschäftigung. Er angle mitunter vierzehn Tage lang im Loch Neß oder im Loch Lochy, denke dir, solche komische Namen gibt es in Schottland, und schliefe dann im Boot, und mit Sonnenaufgang stünd' er wieder da, und wenn dann die vierzehn Tage um wären, dann mausre er sich, dann ginge die ganze schülbrige Haut ab, und dann hab' er eine Haut wie ein Baby. Und er täte das alles aus Eitelkeit, denn ein glatter egaler Teint sei doch eigentlich das Beste, was man haben könne. Und dabei sah er mich so an, daß ich nicht gleich eine Antwort finden konnte. Ach, ihr Männer! Aber das ist doch wahr, ich hatte von Anfang an ein rechtes Attachement für ihn und nahm nicht Anstoß an seiner Redeweise, die sich mitunter in langen Ausführungen, aber doch viel, viel lieber noch in einem beständigen Hin und Her erging. Einer seiner Lieblingssätze war: ›Ich kann es nicht leiden, wenn ein einziges Gericht eine Stunde lang auf dem Tisch steht; nur nicht immer dasselbe, mir ist es angenehmer, wenn die Gänge rasch wechseln.‹ Und so sprang er immer vom Hundertsten ins Tausendste.«

»Nun, da müßt ihr euch freilich gefunden haben«, lachte Botho.

»Haben wir auch. Und wir wollen uns Briefe schreiben, ganz in dem Stil, wie wir miteinander gesprochen; das haben wir beim Abschied gleich ausgemacht. Unsre Herren, auch deine Freunde, sind immer so gründlich. Und du bist der gründlichste, was mich mitunter recht bedrückt und ungeduldig macht. Und du mußt mir versprechen, auch so zu sein wie Mr. Armstrong, und ein bißchen mehr einfach und harmlos plaudern zu wollen und ein bißchen rascher und nicht immer dasselbe Thema.«

Botho versprach Besserung, und als Käthe, die die Superlative liebte, nach Vorführung eines phänomenal reichen Amerikaners, eines absolut kakerlakigen Schweden mit Kaninchenaugen, und einer faszinierend schönen Spanierin – mit einem Nachmittagsausfluge nach Limburg, Oranienstein und Nassau geschlossen und ihrem Gatten abwechselnd die Krypta, die Kadettenanstalt und die Wasserheilanstalt beschrieben hatte, zeigte sie plötzlich auf die Schloßkuppel nach Charlottenburg und sagte: »Weißt du, Botho, da müssen wir heute noch hin, oder nach Westend, oder nach Halensee. Die Berliner Luft ist doch etwas stickig und hat nichts von dem Atem Gottes, der draußen weht und den die Dichter mit Recht so preisen. Und wenn man aus der Natur kommt, so wie ich, so hat man das, was ich die Reinheit und Unschuld nennen möchte, wieder liebgewonnen. Ach, Botho, welcher Schatz ist doch ein unschuldiges Herz. Ich habe mir fest vorgenommen, mir ein reines Herz zu bewahren. Und du mußt mir darin helfen. Ja, das mußt du, versprich es mir. Nein, nicht so; du mußt mir dreimal einen Kuß auf die Stirn geben, bräutlich, ich will keine Zärtlichkeit, ich will einen Weihekuß... Und wenn wir uns mit einem Lunch begnügen, natürlich ein warmes Gericht, so können wir um drei draußen sein.«

Und wirklich, sie fuhren hinaus, und wiewohl die Charlottenburger Luft noch mehr hinter dem »Atem Gottes« zurückblieb als die Berliner, so war Käthe fest entschlossen, im Schloßpark zu bleiben und Halensee fallen zu lassen. Westend sei so langweilig und Halensee sei noch wieder eine halbe Reise, fast wie nach Schlangenbad, im Schloßpark aber könne man das Mausoleum sehen, wo die blaue Beleuchtung einen immer so sonderbar berühre, ja, sie möchte sagen, wie wenn einem ein Stück Himmel in die Seele falle. Das stimme dann andächtig und zu frommer Betrachtung. Und wenn auch das Mausoleum nicht wäre, so wäre doch die Karpfenbrücke da, mit der Klingel dran, und wenn dann ein großer Mooskarpfen käme, so wär' es ihr immer, als käm' ein Krokodil. Und vielleicht wär auch eine Frau mit Kringeln und Oblaten da, von der man etwas kaufen und dadurch im kleinen ein gutes Werk tun könne, sie sage mit Absicht ein »gutes Werk«, und vermeide das Wort christlich, denn Frau Salinger habe auch immer gegeben.

Und alles verlief programmäßig, und als die Karpfen gefüttert waren, gingen beide weiter in den Park hinein, bis sie dicht an das Belvedere kamen mit seinen Rokokofiguren und seinen historischen Erinnerungen. Von diesen Erinnerungen wußte Käthe nichts, und Botho nahm deshalb Veranlassung, ihr von den Geistern abgeschiedener Kaiser und Kurfürsten zu erzählen, die der General von Bischofswerder an eben dieser Stelle habe erscheinen lassen, um den König Friedrich Wilhelm II. aus seinen lethargischen Zuständen oder, was dasselbe gewesen, aus den Händen seiner Geliebten zu befreien und ihn auf den Pfad der Tugend zurückzuführen.

»Und hat es geholfen?« fragte Käthe.

»Nein.«

»Schade. Dergleichen berührt mich immer tief schmerzlich. Und wenn ich mir dann denke, daß der unglückliche Fürst (denn unglücklich *muß* er gewesen sein) der Schwiegervater der Königin Luise war, so blutet mir das Herz. Wie muß sie gelitten haben! Ich kann mir immer in unserem Preußen solche Dinge gar nicht recht denken. Und Bischofswerder, sagtest du, hieß der General, der die Geister erscheinen ließ?«

»Ja. Bei Hofe hieß er der Laubfrosch.«

»Weil er das Wetter machte?«

»Nein, weil er einen grünen Rock trug.«

»Ach, das ist zu komisch... Der Laubfrosch.«

Sechsundzwanzigstes Kapitel

Bei Sonnenuntergang waren beide wieder daheim, und Käthe, nachdem sie Hut und Mantel an Minette gegeben und den Tee beordert hatte, folgte Botho in sein Zimmer, weil es sie nach dem Bewußtsein und der Genugtuung verlangte, den ersten Tag nach der Reise ganz und gar an seiner Seite zugebracht zu haben.

Botho war es zufrieden, und weil sie fröstelte, schob er ihr ein Kissen unter die Füße, während er sie zugleich mit einem Plaid zudeckte. Bald danach aber wurd' er abgerufen, um Dienstliches, das der Erledigung bedurfte, rasch abzumachen.

Minuten vergingen, und da Kissen und Plaid nicht recht helfen und die gewünschte Wärme nicht geben wollten, so zog Käthe die Klingel und sagte dem eintretenden Diener, daß er ein paar Stücke Holz bringen solle; sie friere so.

Zugleich erhob sie sich, um den Kaminschirm beiseite zu schieben, und sah, als dies geschen war, das Häuflein Asche, das noch auf der Eisenplatte lag.

Im selben Momente trat Botho wieder ein und erschrak bei dem Anblick, der sich ihm bot. Aber er beruhigte sich sogleich wieder, als Käthe mit dem Zeigefinger auf die Asche wies und in ihrem scherzhaften Tone sagte: »Was bedeutet das, Botho? Sieh, da hab' ich dich wieder mal ertappt. Nun bekenne. Liebesbriefe? Ja oder nein?«

»Du wirst doch glauben, was du willst.«

»Ja oder nein?«

»Gut denn; ja.«

»*Das* war recht. Nun kann ich mich beruhigen. Liebesbriefe, zu komisch. Aber wir wollen sie doch lieber zweimal verbrennen; erst zu Asche und dann zu Rauch. Vielleicht glückt es.«

Und sie legte die Holzstücke, die der Diener mittlerweile gebracht hatte, geschickt zusammen und versuchte sie mit ein paar Zündhölzchen anzuzünden. Und es gelang auch. Im Nu brannte das Feuer hell auf, und während sie den Fauteuil an die Flamme schob und die Füße bequem und, um sie zu wärmen, bis an die Eisenstäbe vorstreckte, sagte sie: »Und nun will ich dir auch die Geschichte von der Russin auserzählen, die natürlich gar keine Russin war. Aber eine sehr kluge Person. Sie hatte Mandelaugen, alle diese Personen haben Mandelaugen, und gab vor, daß sie zur Kur in Schlangenbad sei. Nun, das kennt man. Einen Arzt hatte sie nicht, wenigstens keinen ordentlichen, aber jeden Tag war sie drüben in Frankfurt oder in Wiesbaden oder auch in Darmstadt und immer in Begleitung. Und einige sagen sogar, es sei nicht mal derselbe gewesen. Und nun hättest du sehen sollen, welche Toilette und welche Suffisance! Kaum, daß sie grüßte, wenn sie mit ihrer Ehrendame zur Table d'hote kam. Denn eine Ehrendame hatte sie, das ist immer das erste bei solchen Damen. Und wir nannten sie die ›Pompadour‹, ich meine die Russin, und sie wußte es auch, daß wir sie so nannten. Und die alte Generalin Wedell, die ganz auf unserer Seite stand und sich über die zweifelhafte Person ärgerte (denn eine Person war es, darüber war kein Zweifel), die alte Wedell, sag' ich, sagte ganz laut über den Tisch hin: ›Ja, meine Damen, die Mode wechselt in allem, auch in den Taschen und Täschchen und sogar in den Beuteln und Beutelchen. Als ich noch jung war, gab es noch Pompadours, aber heute gibt es keine Pompadours mehr. Nicht wahr? Es gibt keine Pompadours mehr?‹ Und dabei lachten wir und sahen alle die Pompadour an. Aber die schreckliche Person gewann trotzdem einen Sieg über uns und sagte mit lauter und scharfer Stimme, denn die alte Wedell hörte schlecht: ›Ja, Frau Generalin, es ist so, wie Sie sagen. Nur sonderlich, als die Pompadours abgelöst wurden, kamen die Reticules an die Reihe, die man dann später die Ridicules nannte. Und solche Ridicules gibt es noch.‹ Und dabei sah sie die gute, alte Wedell an, die, weil sie nicht antworten konnte, vom Tisch aufstand und den Saal verließ. Und nun frag' ich dich, was sagst du dazu? Was sagst du zu solcher Impertinenz?... Aber Botho, du sprichst ja nicht, du hörst ja gar nicht...«

»Doch, doch Käthe...«

Drei Wochen später war eine Trauung in der Jakobikirche, deren kreuzgangartiger Vorhof auch heute von einer dichten und neugierigen Menschenmenge, meist Arbeiterfrauen, einige mit ihren Kindern auf dem Arm besetzt war. Aber auch Schul- und Straßenjugend hatte sich eingefunden. Allerlei Kutschen fuhren vor, und gleich aus einer der ersten stieg ein Paar, das, so lang es im Gesichtskreise der Anwesenden verblieb, mit Lachen und Getuschel begleitet wurde.

»*Die* Taille«, sagte eine der zunächststehenden Frauen.

»Taille?«

»Na denn Hüfte.«

»Schon mehr Walfischrippe.«

»*Das* stimmt.«

Und kein Zweifel, daß sich dies Gespräch noch fortgesetzt hätte, wenn nicht eben in diesem Augenblicke die Brautkutsche vorgefahren wäre. Der vom Bock herabspringende Diener eilte, den Kutschenschlag zu öffnen, aber der Bräutigam selbst, ein hagerer Herr mit hohem Hut und spitzen Vatermördern, war ihm bereits zuvorgekommen und reichte seiner Braut die Hand, einem sehr hübschen Mädchen, das übrigens, wie gewöhnlich bei Bräuten, weniger um seines hübschen Aussehens, als um seines weißen Atlaskleides willen bewundert wurde. Dann stiegen beide die mit einem etwas abgetretenen Teppich belegte, nur wenig Stufen zählende Steintreppe hinauf, um zunächst in den Kreuzgang und gleich danach in das Kirchenportal einzutreten. Aller Blicke folgten ihnen.

»Un kein Kranz nich?« sagte dieselbe Frau, vor deren kritischem Auge kurz vorher die Taille der Frau Dörr so schlecht bestanden hatte.

»Kranz? ... Kranz? ... Wissen Sie denn nicht? ... Haben Sie denn nichts munkeln hören?«

»Ach so. Freilich hab' ich. Aber, liebe Kornatzki, wenn es nach's Munkeln ginge, gäb es gar keine Kränze mehr, un Schmidt in der Friedrichstraße könnte man gleich zumachen.«

»Ja, ja«, lachte jetzt die Kornatzki, »das könnt er. Un am Ende für so 'nen Alten! Fuffzig jute hat er doch woll auf'n Puckel un sah eigentlich aus, als ob er seine silberne gleich mitfeiern wollte.«

»Woll. So sah er aus. Un haben Sie denn seine Vatermörder gesehn? So was lebt nich.«

»Damit kann er sie gleich dod machn, wenn's wieder munkelt.«

»Ja, das kann er.«

Und so ging es noch eine Weile weiter, während aus der Kirche schon das Präludium der Orgel hörbar wurde.

Den anderen Morgen saßen Rienäcker und Käthe beim Frühstück, diesmal in Bothos Arbeitszimmer, dessen beide Fenster, um Luft und Licht einzulassen, weit offen standen. Rings um den Hof her nistende Schwalben flogen zwitschernd vorüber, und Botho, der ihnen allmorgendlich einige Krumen hinzustreuen pflegte, griff eben wieder zu gleichem Zweck nach dem Frühstückskorb, als ihm das ausgelassene Lachen seiner seit fünf Minuten schon in ihre Lieblingszeitungen vertieften jungen Frau Veranlassung gab, den Korb wieder hinzustellen.

»Nun, Käthe, was ist? Du scheinst ja was ganz besonders Nettes gefunden zu haben.«

»Hab ich auch... Es ist doch zu komisch, was es für Namen gibt! Und immer gerade bei Heirats- und Verlobungsanzeigen. Höre doch nur.«

»Ich bin ganz Ohr.«

»... Ihre heute vollzogene eheliche Verbindung zeigen ergebenst an: *Gideon Frank*, Fabrikmeister, *Magdalene Franke,* geb. Nimptsch..., Nimptsch. Kannst du dir was Komischeres denken? Und dann Gideon!«

Botho nahm das Blatt, aber freilich nur, weil er seine Verlegenheit dahinter verbergen wollte. Dann gab er es ihr zurück und sagte mit so viel Leichtigkeit im Ton, als er aufbringen konnte: »Was hast du nur gegen Gideon, Käthe? Gideon ist besser als Botho.«

Über seinen werdenden Roman ›Irrungen Wirrungen‹, schreibt Fontane am 16. Juli 1884, sei er zum »Schilderer der Demimondschaft« geworden. Er fährt fort: »Schließlich ist es aber nicht so wunderbar damit. Erstlich hat man doch auch in grauer Vergangenheit in dieser Welt rumgeschnüffelt, und zweitens und hauptsächlichst: alles was wir wissen, wissen wir überhaupt mehr historisch als aus persönlichem Erlebnis... Alles ist Akten- oder Buch- oder Zeitungswissen, auch in den intimsten Fragen.« Das hört sich sehr ernüchternd an, und es sieht ganz so aus, als hätten wir es mit einer Dichtung von Rang und Anspruch nicht zu tun. Fontane spricht von seinem neuen Roman wie von Dienstobliegenheiten, die erledigt sein wollen: »Heute vormittag, bei gelegentlich niederfallendem Regen, habe ich meine ›Rate‹ geschrieben...«, so heißt es in einem Brief vom 13. Mai 1884; und tags darauf: »Trotz starken Abattuseins hab' ich heute wieder meine Kapitel geschrieben – nach dem alten Goethe-Satze: ›Gebt ihr euch einmal für Poeten, so kommandiert die Poesie.‹ Daß es gleich gut wird, ist schließlich auch nicht nötig und eigentlich von *dem*, der täglich sein Pensum arbeitet, auch nicht zu verlangen.« Äußerungen dieser Art könnten an das Arbeitsethos des modernen Schriftstellers erinnern. Mehr noch erinnern sie an die tägliche Arbeitsleistung des Zeitungsmannes, der in vielen Sparten seines Faches zu Hause ist. Auch der in Fortsetzungen erscheinende Roman gehört halb und halb zu seinem Ressort. Im Juli und August 1887 war er in der ›Vossischen Zeitung‹ erschienen. Die Resonanz war alles andere als ermutigend. »Wird denn die gräßliche Hurengeschichte nicht bald aufhören?« fragte der Mitinhaber der ›Vossischen Zeitung‹ den Chefredakteur, und er hatte wohl Grund, um seine Abonnenten besorgt zu sein. Einigermaßen enttäuscht kommt Fontane in einem späteren Brief auf das mäßige Echo zurück, das seiner Geschichte beschieden war: »Schon wieder im Feld! Und diesmal mit den viel angefochtenen ›Irrungen Wirrungen‹. Daß sie (die Irrungen) sich siegreich durcharbeiten, ist mir bei der entsetzlichen Mediokrität deutscher Kritik und deutschen Durchschnittsgeschmacks nicht wahrscheinlich. Ist auch nicht nöthig. Man muß es nehmen, wie's fällt. Und vielleicht hat man ja auch Unrecht. Aber ich glaub' es nicht!«

In solcher Nähe zum Alltäglichen wird der stille und tragische Unterton wohl leicht überhört, der die Erzählung begleitet. Im anspruchslosen Inhalt wird die ansprechende Dichtung verkannt, um die es sich handelt. Es gibt noch andere Faktoren, die einem tieferen Verständnis des Ganzen im Wege sind. Das hängt mit der über Gebühr zitierten Ordnungsidee zusammen, die man Fontane angedichtet hat.

In dem eingangs erwähnten Brief findet sich der Satz: »Die Sitte gilt und muß gelten.« Er stammt von Friedrich Stephany, dem Chefredakteur der ›Vossischen Zeitung‹, an den der Brief gerichtet ist. Fontane zitiert die Wendung, indem er hinzufügt: »Aber daß sie's muß, ist mitunter hart. Und weil es so ist, wie es ist, ist es am besten: man bleibt davon und rührt nicht dran.« Das ist im redensartlichen Ton eine durchaus zutreffende Interpretation des erzählten Sachverhalts. Doch verdeckt sie entscheidende Züge des Romans, wenn man sie einseitig und eindeutig versteht – so, als liefe alles nur darauf hinaus, daß dieser Dichter in seinen Erzählungen einer gesellschaftlichen Ordnung das Wort redet, die sich im übrigen mit seiner stets regen Gesellschaftskritik schlecht vertragen würde. Auch der tragische Grundton der Erzählung wird verdeckt, wenn man in allem nur ein Bekenntnis zur bestehenden Gesellschaftsordnung sieht. Und überzeugen wird uns das Tragische nur, wenn es um Unvermeidbares geht. Ist die Tragik dieser Liebesgeschichte aber nicht doch vermeidbar? Dann wären es die Standesgegensätze, die ein ungetrübt glückliches Ende verhindern. Aber gerade die Standesgegensätze begegnen uns Heutigen im Lichte der Vergänglichkeit. Sie sind in der Tat vermeidbar. Sitte und Ordnung bedeuten uns daher nicht viel, wenn man sie mit zeitbedingten Gegensätzen gesellschaftlicher Klassen indentifiziert. Die Frage ist nur, ob das Thema der Standesgegensätze das zentrale Thema unserer Erzählung ist. Wir wollen diese Frage unumwunden verneinen, indem wir an eine beiläufige Aussage der alten Frau Nimptsch erinnern: »Aber die Menschen waren damals so wie heut«, gibt sie uns zu bedenken; und dies doch wohl im Sinne des Erzählers.

Daß die Ehe zwischen Lene Nimptsch, der Plätterin aus einfachem Hause, und Botho von Rienäcker, dem Offizier aus adligem Geschlecht, um der Ordnung willen nicht zustande kommt, in der die sozialen Gegensätze fast uneingeschränkt gelten, ist gewiß nicht zu leugnen. Doch gibt es bestimmte Gemeinsamkeiten über alle Gegensätze hinweg. Die gesprächige Frau Dörr und die nicht minder gesprächige Käthe von Sellenthin, Bothos spätere Frau, verbindet miteinander die Art, wie ihnen alles menschliche Dasein im Spiegel gesellschaftlichen Lebens erscheint. Nicht ungern erinnert sich die Frau des Gärtners ihres einstigen Verhältnisses mit einem Grafen. Sie ist, wie Bothos spätere Frau, ein Gesellschaftsmensch; in ihrem Tun und Denken nimmt sie stets Rücksicht auf das, was die Leute denken. Aus keinem anderen Grunde hat sie sich seinerzeit mit der standesamtlichen Trauung nicht begnügt: »Und drum bin ich auch in die Kirche mit ihm gefahren und nicht bloß Standesamt. Bei Standesamt reden sie immer noch.« Wenn Botho von Rienäcker zu Besuch ins »Schloß« kommt, lebt sie förmlich auf; und wie Käthe von Sellenthin versteht sie sich meisterhaft in der gefälligen Kunst der nichtssagenden Rede. Was Botho über Käthe gelegentlich bemerkt, gilt eigentlich auch von ihr: »Es ist alles so angeflogen, so bloßes Gesellschaftsecho.« Die gesellschaftliche Konversation als gedankenlose Plauderei bestimmt hier wie dort den Ton der Unterhaltung. Dabei sind Unterschiede sehr wohl zu bemerken: der Jargon im Haus des Gärtners ist ein anderer als im Kreis der Offiziere. Aber in beiden Kreisen verbreitet sind gewisse Lieblosigkeiten der gesellschaftlichen Rede in der Art, wie man über andere spricht. Über die äußere Erscheinung ihres Mannes macht sich die Gärtnersfrau lustig, und nicht gerade taktvoll spricht sie davon, daß ihn vielleicht bald der Schlag rühren wird, was ihr nicht weiter nahegeht, weil er ihr ja alles schon verschrieben hat. Sie ist deswegen kein schlechter Mensch. Sie spricht nur nach Art aller Berliner Ehefrauen so, »als ob die Verheiratung mit ihm eine der schwersten Mesalliancen und eigentlich etwas halb Unerklärliches gewesen wäre«. Ihre Rede will demnach nicht so wörtlich genommen sein: »In Wahrheit aber stand es so, daß sie sich nicht nur äußerst behaglich und zufrieden fühlte, sondern sich auch freute, daß Dörr gerade so war, wie er war.« Es ist die Sprache eines Standes, einer bestimmten Gesellschaftssicht, die hier gesprochen wird. Und gesellschaftsbedingt ist auch das leicht Anzügliche ihrer Konversation, wenn sie in Anwesenheit Lenes mit der Nennung Adebars eines ihrer Lieblingsthemen anschlägt. Eine solche, das Frivole streifende Konversation ist auch im Kreise von Bothos Freunden beliebt. Sie nimmt sich hier nur ein wenig geistreicher aus, wenn man für die Offiziers-»Damen« während des Ausfluges die Namen aus der ›Jungfrau von Orleans‹ entlehnt. Dieselben Freunde Bothos, die an den Plaudereien Käthes Gefallen finden, sprechen nicht sonderlich rücksichtsvoll von ihr, wenn sie unter sich sind und der burschikose Gesprächston gilt: »Sie war damals wie 'ne Bachstelze... Ich seh noch ihren Haardutt, den wir immer den

Wocken nannten. Und den soll Rienäcker nun abspinnen.« Unverkennbar in solchen Redensformen ist die Komik im Ganzen; und auch sie ist nicht nur einer Gesellschaftsschicht vorbehalten.

Komik entsteht durch Kontrast, so gleich eingangs in der Schilderung des Gärtnerhauses: »Denn ein Schloß is es und bleibt es«, sagt Frau Nimptsch. Aber bei rechter Beleuchtung erweist sich dieses Schloß sehr bald als ein jämmerlicher Holzkasten. Komisch erst recht berührt die Mitteilung des Erzählers, daß dieser Holzkasten in »vordörrscher Zeit« als eine bloße Remise gedient hatte. Niederes wird hier mit Höherem kontrastiert, und von dem historisch ganz unbedeutenden Gärtner wird gesprochen, als handle es sich um das Glied einer machtvollen Dynastie. Ähnlich verhält es sich mit Bothos Besuchen bei Lene Nimptsch. Natürlich ist damit keinerlei Komik beabsichtigt, aber unfreiwillig stellt sie sich ein, wenn im Hause der Dörrs jene fingierten Gespräche geführt werden, als befände man sich mitten in der großen Welt. Solche Komik entfaltet sich auf ihre Weise in jeder Gesellschaftsschicht. Das beweisen die mit Bedacht gewählten Namen: »Nimptsch. Kannst du dir was Komischeres denken? Und dann Gideon?« fragte Bothos Frau am Ende des Romans, und er gibt ihr darauf die Antwort, die sie verdient. Frau Dörr wiederum spricht von dem »Knallerballer« ihres Mannes und meint dessen Pfeife. Mit ihren derben Ausdrücken bringt sie stets etwas Komisches ins Gespräch. Von Betten und Federn ist die Rede, und ein wenig Anzüglichkeit kann sie sich dabei nicht versagen: »Ich bin so mehr fürs Feste, für Pferdehaar und Sprungfedern, und wenn es dann so wuppt...« Bothos Onkel hat einen Tick für preußische Adelsnamen und Pferde. Schon im voraus weiß der Neffe, daß sich mit dessen Besuch der Kauf eines neuen Sattels verknüpft, und nie wird er in seinen Vermutungen widerlegt. Vor allem Käthe ist für Komik aller Art empfänglich: »Kötzschenbroda? Zu komisch«, sagt sie, und wir sind uns im klaren, daß solcher Sinn für das Komische auf sie selbst zurückfällt. Gerade sie hat die Anlagen zur komischen Figur. Einer der Freunde Bothos spricht es aus, wenn er beiläufig bemerkt: »sie dalbert ein bißchen«. Aber selbst Gideon Franke mit seinem Sinn für Ordnung, Sitte und Anstand ist von Komik nicht frei. Er ist ein Sektierer und Konventikler mit unverkennbaren Neigungen zur Spießbürgerlichkeit und zur Pedanterie. Der Sinn für Sitte und Ordnung, auf den man Fontane so gern festgelegt hat, erscheint in eigentümlicher Ambivalenz. Menschen wie Gideon Franke sind für den Bestand der Gesellschaft unerläßlich. Aber vom ordnungsliebenden Bürger zur Komik der Spießbürgerlichkeit ist es nur ein

Schritt. Auf Ordnung und Sitte ist die Gesellschaft der Menschen gegründet, aber das Menschliche geht in solchen Ordnungen nicht auf. Beziehungsreich sagte es Botho von dem Gesellschaftsmenschen seines Onkels: »Ich soll mit einem alten Onkel von mir frühstücken, neumärkisch Blut und just in dem Winkel zu Haus, wo Bentsch, Rentsch, Stentsch liegen – lauter Reimwörter auf Mensch, selbstverständlich ohne weitere Konsequenz und Verpflichtung.« Das Menschliche wird vom Gesellschaftlichen überdeckt, und davon mögen die oberen Gesellschaftsschichten in erster Linie betroffen sein. Aber Fontane ist weit entfernt, das Natürlich-Menschliche für etwas zu halten, das es nur in den unteren Klassen gibt. Das alles trifft auf den Adel ebenso wie auf das Bürgertum zu.

Gesellschaft und Menschlichkeit stehen in einem Spannungsverhältnis, das den Konflikt erzeugt. Die sozialen Gegensätze sind nur der Anlaß. Das Natürliche steht gegen das Gesellschaftliche. Weil aber die Gesellschaft alle Schichten erfaßt, ist auch das Natürliche in allen Schichten davon bedroht. Frau Dörr ist unter Menschen »bloß komische Figur«, stellt Botho gelegentlich fest, und das Komische verträgt sich mit dem Natürlichen schlecht. Die Gesellschaftsdame, die Käthe Rienäcker ist, wirkt darin komisch, daß sie dem Natürlichen das Wort redet, ohne zu spüren, daß es ihr gerade daran fehlt. Aus Schlangenbad berichtet sie ausführlich von dem Kind der Frau Salinger. Sie findet deren Toilettenluxus nicht sehr passend. Dagegen sei das Kind sehr natürlich. Aber der Sinn für das Natürliche wird ins Komische verkehrt, wenn sie fortfährt: »Immer wenn sie mich sieht, stürzt sie sich auf mich und küßt mir die Hand.« Sie hält in Unkenntnis der Dinge das Gesellschaftliche für das Natürliche und verwechselt das eine mit dem anderen. So bleibt denn Lene Nimptsch die menschlichste aller Gestalten. Sie bleibt es nicht deshalb, weil sie aus dem einfachen Volke stammt, sondern weil sie sich mit der Gesellschaftsschicht, der sie angehört, nicht identifiziert. Kennzeichnend ist das Fehlen alles Redensartlichen in ihrer Sprache, und Botho rühmt diese Eigenschaft gegenüber Gideon Franke: »An der Art, wie sie dankte, sah ich gleich, daß sie anders war als andere. Von Redensarten keine Spur.« Lenes Natürlichkeit: das ist die »Stimme des Herzens«, der sie nachgibt; aber gerade dieses Nachgeben wird ihr zum Verhängnis. Anders als den Offiziersdamen ist es ihr verwehrt, die Liebe als unverbindliches Gesellschaftsspiel zu betreiben. Sie liebt Botho von ganzem Herzen, auch wenn sie damit die Grenze des gesellschaftlich Erlaubten überschreitet. Das Gerede der Leute ficht sie nicht an. Und doch ist sie sich von Anfang an des episodenhaften Charakters ihrer Liebe bewußt. Sie drängt nicht zur Ehe, und sie verbindet damit keine Nebenabsichten, wenn sie den Offizier liebt, der dem Adelsstand angehört. Daß sie es nicht tut, ist ein Zeichen ihrer Wahrheit und Aufrichtigkeit. Dennoch unterscheidet sie sich gerade in der Natürlichkeit ihres Gefühls von den Offiziersdamen in Hankels Ablage, die an ernstere Bindungen nicht im mindesten denken. Das ist der tiefere Konflikt, der hinter der Erzählung Fontanes steht – ein Konflikt von durchaus tragischen Maßen. Die Antinomie des Natürlichen wird offenkundig. Der im Grunde utopische Charakter solcher Natürlichkeit in unserer durch und durch gesellschaftlichen Welt wird enthüllt. Es ist nicht möglich, das Natürliche rein und unverfälscht zu leben. Immer bleiben wir auf Kompromisse angewiesen. So ist denn auch im Umkreis des Romans das reine und ungetrübte Glück nicht möglich. Solcher Unauflöslichkeiten wird sich gewiß Lene Nimptsch kaum bewußt. Aber sie werden von ihr geahnt, wenn Trauer sie in glücklichen Stunden überfällt. Denn zuletzt ist ein Konflikt wie dieser im Wesen der Liebe gegründet. Wahre Liebe will Dauer; und daß sie es will, ist der Natürlichkeit zuzuschreiben, der sie folgt.

Weil Lene in Botho den Menschen und nicht den Angehörigen einer höheren Gesellschaftsschicht liebt, ist sie bestrebt, sich ungetrübt am Augenblick des Zusammenseins zu freuen. Sie bildet sich nichts ein und sie macht sich nichts vor. »Wenn ich einen liebe, dann lieb' ich ihn. Und das ist mir genug. Und will weiter gar nichts von ihm ...« Die Minuten und Stunden des Zusammenseins mit Botho sind ihr genug. Sie will das Alleinsein mit ihm genießen, jenseits und außerhalb der Gesellschaft: »Botho und Lene waren nicht nur wieder allein miteinander, sondern genossen auch das Glück dieses Alleinseins aus vollen Zügen«. Aber niemand weiß besser als sie, daß kein Glück vollkommen ist, denn zur Vollkommenheit gehört Dauer. Lene will in ihrer Natürlichkeit nichts als die Liebe; aber indem sie es will, muß sie auch Dauer wollen. Und in der Dauer beruht zuletzt die Verbindlichkeit – nicht im Unverbindlichen des Spiels, an dem sich die Offiziersdamen beteiligen. Die Dauer der Liebe aber heißt Ehe, und Ehe heißt Ordnung, sagt Botho. Es ist immer zugleich eine Ordnung der menschlichen Gesellschaft. Aber dieselbe Gesellschaft wirkt dem Menschlich-Natürlichen entgegen, und was zwischen Lene und Botho geschehen ist, ist in einem Bereich jenseits von Sitte, Ordnung und Gesellschaft geschehen. So liegt über dem Glück in Hankels Ablage wohl ein Hauch des Paradiesischen: »Ja, wer wollte da nicht schlafen wie im Paradiese?« sagt Botho im Gespräch mit dem Wirt des Ausfluglokals; nur ein Spreedampfer mit zweihundertvierzig Gästen würde die Vertreibung aus dem Paradiese bedeuten. Und diese Vertreibung läßt nicht lange auf sich warten. Aber schon der Ausflug selbst war keine Flucht ins Paradies. Das vollkommene Alleinsein außerhalb der Gesellschaft wird beiden nicht geschenkt. Auch in Hankels Ablage sind sie nicht allein, sondern in Gesellschaft; und wenn Lene von der Wirtin mit gnädige Frau angeredet wird, so bedeutet das nicht eben eine Steigerung ihres Glücks. Eher erinnert sie die Anrede an das Schiefe der Situation. So fehlt auch hier die Komik nicht ganz; und ein wenig komisch hört sich ja auch der Name des Ausflugslokals an. Darüber gibt es ein Gespräch zwischen Botho und dem Wirt: »Ich find' es reizend hier, und nur eins läßt sich gegen Hankels Ablage sagen: der Name.« Der Wirt bestätigt den Einwand; Hankels Ablage, belehrt er Botho, sei einmal wirklich eine Ablage gewesen. Das sind Ernüchterungen, die an einen paradiesischen Zustand nicht unbedingt denken lassen.

Aber nicht nur das unvermutete Auftauchen der Freunde erinnert Botho daran, daß man sich auch im Ausflugslokal nicht außerhalb der Gesellschaft befindet. Mehr noch ruft ihn der Brief der Mutter aus den traumhaft glücklichen Stunden in die Wirklichkeit zurück. Die Realität der gesellschaftlichen Verhältnisse pocht auf ihre Macht. Botho von Rienäcker sieht sich unversehens einer Entscheidung gegenüber und gibt nach. Es sieht aus, als scheitere alles nur an der Schwäche eines Charakters, der sich zu rasch in die Verhältnisse fügt. Beruht die tragisch zu nennende Trennung nicht doch zuletzt nur in der Entscheidung, die Botho trifft? Indem wir die Frage stellen, stehen die Motive seiner Entscheidung in Frage. Es war nicht seine Absicht, dessen wird er sich bewußt, gegen die Standesgegensätze Sturm zu laufen. Alles was er wollte, war ein verschwiegenes Glück, und irgendwann erwartete er die stille Gutheißung der Gesellschaft. Seine Pläne werden von den Verhältnissen durchkreuzt. Nicht ein unabhängiger Mensch hat seine Entscheidungen zu treffen. Botho von Rienäcker, ein Durchschnittsmensch aus der oberen Sphäre der Gesellschaft, wie er nicht ohne Sarkasmus sagt, ist abhängig von dem, was er gelernt hat; und gelernt hat er nicht viel: »Ich kann ein Pferd stallmeistern, einen Kapaun tranchieren und ein Jeu machen.« Bliebe also die Unabhängigkeit des vermögenden Adligen. Aber gerade am Vermögen würde es vollends fehlen. Es wäre alles andere als ein verbürgtes Glück, wenn er die vorgezeichnete Ordnung verließe. So oder so behaupten die Ordnungen ihr Recht. So entsagen Botho wie Lene einem Glück, um es einzutauschen gegen ein anderes, das weniger unvollkommen ist, ohne vollkommen zu sein. Nirgends im Umkreis des Romans gibt es ein Glück, das diese Bezeichnung ohne Einschränkung verdient. So bleibt in Fällen wie diesem nur die Möglichkeit, sich ins Unvermeidliche zu schikken. Auf Bothos Frage, was denn geschehen solle, wenn sich das Glück nicht wieder einstellt, antwortet Lene mit dem Satz, der eine sehr illusionslose Einsicht in die Lage der Dinge verrät; sie sagt: »Dann lebt man ohne Glück.«

Die Wahrheit des Natürlichen nimmt unwirkliche Züge an. Sie ist im Bereich der Wirklichkeit nicht rein und unverstellt zu finden, in der die Bedingungen der gesellschaftlichen Ordnung dominieren. Die sozialen Gegensätze sind nicht das Entscheidende. Sie sind nur die Formen einer Ordnung, die in allem Wandel des geschichtlichen Lebens leibt. Weil es so ist, liegt das Entscheidende nicht im Beseitigen der Gegensätze, sondern in der Ergebung in das, was unvermeidlich ist und immer wieder so sein wird: »Aber die Menschen waren damals so wie heut«, weiß die alte Nimptsch. Wichtiger als die Konflikte sind die Antworten auf sie, das Verhalten der Menschen im Widerstreit von Gegensätzen, die unauflöslich sind. Daß solcher Widerstreit nicht aus der Welt zu schaffen ist, davon ist Fontane überzeugt. Ihm setzt er jene so oft mißverstandene Resignation entgegen, die keine Verzweiflung ist, aber noch weit weniger ein »heiteres Darüberstehen«. Auf Klage und Anklage wird verzichtet, so wie es Lene tut. Zu verstehen und zu verzeihen ist ein Ausdruck des Menschlichen in solcher Resignation. Sie ist eins mit Fontanes Humanität. Und eine tief humane Gestalt ist auch Lene Nimptsch. Sie klagt nicht an, sondern spricht denjenigen frei, den man als den Schuldigen dieser unglücklichen Geschichte ansehen könnte: »Du hast mir kein Unrecht getan, hast mich nicht auf Irrwege geführt und hast mir nichts versprochen. Alles war mein freier Entschluß. Ich habe dich von Herzen lieb gehabt, das war mein Schicksal, und wenn es eine Schuld war, so war es *meine* Schuld. Und noch dazu eine Schuld, deren ich mich... von ganzer Seele freue, denn sie war mein Glück.« In der Gegenwart des höchsten Glücks in Hankels Ablage war es kein ungetrübtes Glück. Jetzt, in der Erinnerung, stellt es sich Lene als ein solches Glück dar. Etwas Unwirkliches haftet der Glückserfahrung an, die Lene Nimptsch gemacht hat und die der Roman gestaltet. Aber das Wort, das im Offiziersklub gelegentlich ausgesprochen wird, trifft in einem tieferen Sinn die Sache: »Nur das Unwirkliche macht den Wert und ist eigentlich das einzig Reale.«

WALTER MÜLLER-SEIDEL

Die Taschenbuchreihe Goldmann KLASSIKER enthält deutsche, römische, griechische, französische, italienische, spanische, englische und russische Literatur. Auf den nachstehenden Seiten ist eine Auswahl der deutschen sowie der englischen Klassikerausgaben verzeichnet.

Leser, die eine vollständige Übersicht über die Klassiker wünschen, bitten wir, unser Verlagsverzeichnis anzufordern.

ARNIM, ACHIM VON, Erzählungen: Isabella von Ägypten; Der tolle Invalide auf dem Fort Ratonneau; Mistris Lee; Angelika, die Genueserin, und Cosmus, der Seilspringer; Die drei liebreichen Schwestern und der glückliche Färber; Die Verkleidungen des französischen Hofmeisters und seines deutschen Zöglings; Fürst Ganzgott und Sänger Halbgott; Holländische Liebhabereien; Die Majoratsherren (959/60) DM 5.–

BRENTANO, CLEMENS: Ausgewählte Werke in 4 Bänden:
– Erzählungen: Die Chronika des fahrenden Schülers; Der schiffbrüchige Galeerensklave vom toten Meer; Die Schachtel mit der Friedenspuppe; Die mehreren Wehmüller und ungarischen Nationalgesichter; Geschichte vom braven Kasperl und dem schönen Annerl (1459) DM 3.–
– Gedichte (1328) DM 3.–
– Märchen I. Italienische Märchen: Das Märchen von den Märchen oder Liebseelchen; Das Märchen von dem Myrtenfräulein; Das Märchen von dem Schulmeister Klopfstock und seinen fünf Söhnen; Das Märchen von Fanferlieschen Schönefüßchen; Das Märchen von Gockel und Hinkel (1363) DM 3.–
– Märchen II. Rheinmärchen: Das Märchen von dem Rhein und dem Müller Radlauf; Das Märchen von dem Hause Starenberg und den Ahnen des Müllers Radlauf (1454) DM 3.–

BÜCHNER, GEORG: Gesammelte Werke: Dantons Tod; Lenz; Leonce und Lena; Der Hessische Landbote (7510) DM 4.–

BÜRGER, GOTTFRIED AUGUST: Münchhausens Abenteuer. Wunderbare Reisen zu Wasser und Lande, Feldzüge und lustige Abenteuer des Freiherrn von Münchhausen, wie er dieselben bei der Flasche im Zirkel seiner Freunde selbst zu erzählen pflegt (2898) DM 3.–

CHAMISSO, ADALBERT VON: Peter Schlemihls wundersame Geschichte. Weiterer Inhalt: Gedichte; Reise um die Welt (Auswahl) (1901) DM 3.–

CLAUDIUS, MATTHIAS: Der Wandsbecker Bote (894) DM 3.–

DROSTE-HÜLSHOFF, ANNETTE VON: Gedichte; Die Judenbuche. Eine Auswahl aus dem Gesamtwerk: Lyrische Gedichte; Balladen; Geistliche Gedichte; Aus: Ledwina; Aus: Bilder aus Westfalen (704) DM 3.–

EBNER-ESCHENBACH, MARIA VON:
– Krambambuli und andere Erzählungen: Krambambuli; Die Freiherren von Gemperlein; Er laßt die Hand küssen; Der Kreisphysikus; Der Muff (2752) DM 3.–
– Die Sünderin. Erzählungen aus dem alten Österreich: Die Sünderin; Der Vorzugsschüler; Ein Spätgeborner; Der Herr Hofrat (2926) DM 3.–

EICHENDORFF, JOSEPH VON: Ausgewählte Werke in 2 Bänden:
– Aus dem Leben eines Taugenichts; Gedichte (428) DM 4.–
– Das Marmorbild und andere Novellen: Das Marmorbild; Eine Meerfahrt; Das Schloß Dürande; Die Glücksritter (1755) DM 3.–

FICHTE, JOHANN GOTTLIEB: Reden an die deutsche Nation (1905) DM 3.–

WILHELM GOLDMANN VERLAG MÜNCHEN

GOETHE, JOHANN WOLFGANG VON: Ausgewählte Werke in 22 Bänden:

- Aus meinem Leben. Dichtung und Wahrheit. I. und II. Teil (806/07) DM 5.–
- Aus meinem Leben. Dichtung und Wahrheit. III. und IV. Teil (825/26) DM 5.–
- Biographische Schriften (910) DM 3.–
- Briefe (702/03) DM 5.–
- Briefwechsel mit Schiller (920/21) DM 5.–
- Dramen: Egmont; Iphigenie; Tasso (568) DM 3.–
- Epen: Reineke Fuchs; Hermann und Dorothea; Achilleis (880) DM 3.–
- Faust I. und II. Teil (371) DM 4.–
- Gedichte (453/54) DM 5.–
- Italienische Reise (427) DM 3.–
- Jugenddramen: Götz von Berlichingen; Clavigo; Stella (439) DM 3.–
- Die Leiden des jungen Werthers (461) DM 3.–
- Die natürliche Tochter und andere Dramen: Elpenor; Pandora; Des Epimenides Erwachen (900) DM 3.–
- Novellen (860) DM 3.–
- Satiren und Zeitdramen (890) DM 3.–
- Schriften zur Literatur, Kunst und Natur (930/31) DM 5.–
- Tagebücher (940/41) DM 5.–
- Die Wahlverwandtschaften (394) DM 3.–
- West-östlicher Divan (487) DM 3.–
- Wilhelm Meisters Lehrjahre. Band 1 (7528) DM 4.–
- Wilhelm Meisters Lehrjahre. Band 2 (7529) DM 5.–
- Wilhelm Meisters Wanderjahre oder Die Entsagenden (752/53) DM 5.–

Johann Peter Eckermann: Gespräche mit Goethe (950/51) DM 5.–

WILHELM GOLDMANN VERLAG MÜNCHEN

GOTTHELF, JEREMIAS: Ausgewählte Romane und Erzählungen in 3 Bänden:
- Uli der Knecht. Roman (1661/62) DM 5.–
- Uli der Pächter. Roman (1663/64) DM 5.–
- Die schwarze Spinne und andere Erzählungen: Wie Joggeli eine Frau sucht; Die schwarze Spinne; Elsi, die seltsame Magd; Wie Christen eine Frau gewinnt (2637) DM 3.–

GRILLPARZER, FRANZ: Ausgewählte Werke in 4 Bänden:
- Das Goldene Vließ. Ein dramatisches Gedicht. Der Gastfreund; Die Argonauten; Medea (724) DM 3.–
- Sappho; Des Meeres und der Liebe Wellen (1496) DM 3.–
- Weh dem, der lügt! Der Traum ein Leben (1990) DM 3.–
- Der arme Spielmann; Das Kloster bei Sendomir. Erzählungen (2914) DM 3.–

HEBBEL, FRIEDRICH: Ausgewählte Werke in 2 Bänden:
- Maria Magdalena; Agnes Bernauer (1388) DM 3.–
- Herodes und Mariamne; Gyges und sein Ring (2304) DM 3.–

HEBEL, JOHANN PETER:
- Biblische Erzählungen (1782) DM 3.–
- Das Schatzkästlein des Rheinischen Hausfreundes (650) DM 3.–

HEINE, HEINRICH: Ausgewählte Werke in 5 Bänden:
- Ausgewählte Prosa: Florentiner Nächte; Das Buch Le Grand; Aus den Memoiren des Herrn von Schnabelewopski; Der Rabbi von Bacharach (385) DM 3.–
- Buch der Lieder (367) DM 3.–
- Deutschland, ein Wintermärchen; Atta Troll; Zeitkritische Schriften (7520) DM 5.–
- Reisebilder: Die Harzreise; Die Nordsee; Die Stadt Lucca; Die Bäder von Lucca (410) DM 3.–
- Die Romantische Schule; Späte Lyrik (961) DM 3.–

WILHELM GOLDMANN VERLAG MÜNCHEN

HERDER, JOHANN GOTTFRIED: Schriften. Aus dem Inhalt: Auch eine Philosophie der Geschichte zur Bildung der Menschheit; Ideen zur Philosophie der Geschichte der Menschheit; Von Kunst und Kunstrichterei; Über den Charakter der Menschheit; Briefe zur Beförderung der Humanität; Abhandlung über den Ursprung der Sprache; Über die neuere deutsche Literatur; Shakespeare; Gedichte (668/69) DM 5.–
HOFFMANN, E. T. A.: Ausgewählte Werke in 7 Bänden:
– Lebensansichten des Katers Murr (391/92) DM 5.–
– Die Elixiere des Teufels; Klein Zaches, genannt Zinnober (456/57) DM 5.–
– Erzählungen: Rat Krespel; Das Majorat; Das Fräulein von Scuderi; Spielerglück (509) DM 3.–
– Spukgeschichten und Märchen: Der goldene Topf; Die Abenteuer der Silvesternacht; Der Sandmann; Nußknacker und Mausekönig (553) DM 4.–
– Musikalische Novellen und Schriften: Ritter Gluck; Don Juan; Kreisleriana; Fünf Beethovenaufsätze; Alte und neue Kirchenmusik; Der Dichter und der Komponist (1356) DM 3.–
– Prinzessin Brambilla; Das fremde Kind; Aufsatz über Callot (1405) DM 3.–
– Meister Martin, der Küfner, und seine Gesellen und andere Erzählungen: Des Vetters Eckfenster; Der Feind (1553) DM 3.–
JEAN PAUL: Ausgewählte Werke in 4 Bänden:
– Dr. Katzenbergers Badereise. Eine Satire (687) DM 3.–
– Flegeljahre. Roman (1549/50) DM 5.–
– Leben des vergnügten Schulmeisterlein Maria Wuz. Weiterer Inhalt: Des Luftschiffers Giannozzo Seebuch; Des Feldpredigers Schmelzle Reise nach Flätz (1785) DM 3.–
– Leben des Quintus Fixlein. Roman (1882) DM 3.–

WILHELM GOLDMANN VERLAG MÜNCHEN

KELLER, GOTTFRIED: Ausgewählte Werke in 7 Bänden:
- Der grüne Heinrich (778/79/80) DM 8.–
- Die Leute von Seldwyla. Erster Teil: Pankraz, der Schmoller; Romeo und Julia auf dem Dorfe; Frau Regel Amrain und ihr Jüngster; Die drei gerechten Kammacher; Spiegel, das Kätzchen (440) DM 4.–
- Die Leute von Seldwyla. Zweiter Teil: Kleider machen Leute; Der Schmied seines Glückes; Die mißbrauchten Liebesbriefe; Dietegen; Das verlorene Lachen (602) DM 4.–
- Züricher Novellen: Herr Jacques; Hadlaub; Der Narr auf Manegg; Der Landvogt von Greifensee; Das Fähnlein der sieben Aufrechten; Ursula (1554/55) DM 5.–
- Sieben Legenden (Eugenia; Die Jungfrau und der Teufel; Die Jungfrau als Ritter; Die Jungfrau und die Nonne; Der schlimm-heilige Vitalis; Dorotheas Blumenkörbchen; Das Tanzlegendchen); Das Sinngedicht (1556/57) DM 5.–
- Martin Salander (1558/59) DM 5.–
- Gedichte und Schriften. Aus dem Inhalt: Gedichte; Vermischte Gedanken über die Schweiz; Jeremias Gotthelf; Am Mythenstein; Autobiographien (1560) DM 3.–

KLEIST, HEINRICH VON: Ausgewählte Werke in 4 Bänden:
- Sämtliche Novellen: Michael Kohlhaas; Die Marquise von O . . .; Das Erdbeben von Chili; Die Verlobung in St. Domingo; Das Bettelweib von Locarno; Der Findling; Die heilige Cäcilie oder Die Gewalt der Musik; Der Zweikampf (386) DM 4.–
- Ausgewählte Dramen: Prinz Friedrich von Homburg; Der zerbrochene Krug; Das Käthchen von Heilbronn (400) DM 3.–
- Amphitryon (Ein Lustspiel); Penthesilea (Ein Trauerspiel) (720) DM 3.–

WILHELM GOLDMANN VERLAG MÜNCHEN

KLEIST, HEINRICH VON *(Fortsetzung)*
– Über das Marionettentheater und andere Schriften: Aufsatz,
den sichern Weg des Glücks zu finden; Echte Aufklärung des
Weibes; Über die allmähliche Verfertigung der Gedanken
beim Reden; Über das Marionettentheater; Über den Zustand
der Schwarzen in Amerika; Gedichte u. a. (988) DM 3.–
LESSING, GOTTHOLD EPHRAIM: Ausgewählte Werke
in 6 Bänden:
– Nathan der Weise; Minna von Barnhelm (618) DM 3.–
– Miss Sara Sampson; Philotas; Emilia Galotti (1587) DM 3.–
– Hamburgische Dramaturgie (1589/90) DM 5.–
– Laokoon; Wie die Alten den Tod gebildet (1801/02) DM 5.–
– Gedichte und Fabeln: Sinngedichte; Lieder; Oden; Fabeln und
Erzählungen; Fabeln (1850) DM 3.–
– Schriften zur Literatur. Aus dem Inhalt: Rezensionen; Briefe,
die neueste Literatur betreffend; Abhandlungen über die
Fabel; Über das Epigramm (1851) DM 3.–
MEYER, CONRAD FERDINAND: Ausgewählte Werke
in 6 Bänden:
– Jürg Jenatsch. Roman (419) DM 3.–
– Gedichte: Vorsaal; Stunde; In den Bergen; Reise; Liebe; Göt-
ter; Frech und fromm; Genie; Männer (1414) DM 3.–
– Huttens letzte Tage. Lyrisch-epische Dichtung; Das Amulett;
Der Schuß von der Kanzel. Novellen (1460) DM 3.–
– Gustav Adolfs Page und andere Novellen: Der Heilige; Plau-
tus im Nonnenkloster (1470) DM 3.–
– Die Hochzeit des Mönchs und andere Novellen: Das Leiden
eines Knaben; Die Richterin (1480) DM 3.–
– Die Versuchung des Pescara; Angela Borgia. Novellen (1490)
DM 3.–

MORITZ, KARL PHILIPP: Anton Reiser. Ein psychologischer Roman (749/50) DM 5.–

NIETZSCHE, FRIEDRICH: Gesammelte Werke

in 11 Bänden:

– Die Geburt der Tragödie aus dem Geiste der Musik (587) DM 3.–
– Unzeitgemäße Betrachtungen (1472/73) DM 5.–
– Menschliches, Allzumenschliches I (676/77) DM 5.–
– Menschliches, Allzumenschliches II (741/42) DM 5.–
– Morgenröte (7505) DM 6.–
– Die fröhliche Wissenschaft (569/70) DM 5.-
– Also sprach Zarathustra (403) DM 4.–
– Jenseits von Gut und Böse (990) DM 3.–
– Zur Genealogie der Moral (991) DM 3.–
– Der Fall Wagner; Götzendämmerung; Nietzsche contra Wagner (1446) DM 3.–
– Der Antichrist; Ecce Homo; Dionysos-Dithyramben (7511) DM 5.–

Zur Ergänzung dieser Ausgabe ist erschienen:

Nietzsche. Sein Leben in Selbstzeugnissen, Briefen und Berichten. Von Friedrich Würzbach(1753/54) DM 5.–

RAABE, WILHELM: Ausgewählte Werke in 3 Bänden:

– Der Hungerpastor (2454/55) DM 5.–
– Abu Telfan oder die Heimkehr vom Mondgebirge (1875/76) DM 5.–
– Die schwarze Galeere und andere Erzählungen: Aus dem Lebensbuch des Schulmeisterlein Michel Haas; Die schwarze Galeere; Holunderblüte; Die Gänse von Bützow (1750) DM 3.–

SACHS, HANS: Schwänke und Fastnachtsspiele. Aus dem Inhalt: Sankt Peter mit der Geiß; Die drei Dieb auf dem Dach; Das Narrenschneiden; Das Kälberbrüten (2780) DM 3.–

WILHELM GOLDMANN VERLAG MÜNCHEN

SCHILLER, FRIEDRICH: Ausgewählte Werke in 8 Bänden:
- Jugenddramen: Die Räuber; Kabale und Liebe; Don Carlos (416) DM 3.–
- Wallenstein: Wallensteins Lager; Die Piccolomini; Wallensteins Tod (434) DM 4.–
  Gedichte und Balladen. Aus dem Inhalt: Das Lied von der Glocke; Die Bürgschaft; Die Kraniche des Ibykus (450) DM 3.–
- Dramen: Die Jungfrau von Orleans; Maria Stuart; Wilhelm Tell (488) DM 3.–
- Schriften zur Philosophie und Kunst: Die Schaubühne als eine moralische Anstalt betrachtet; Über Anmut und Würde; Über die ästhetische Erziehung des Menschen; Über naive und sentimentalische Dichtung (524) DM 3.–
- Erzählungen: Eine großmütige Handlung; Der Verbrecher aus verlorener Ehre; Spiel des Schicksals; Der Geisterseher (904) DM 3.–
- Dramen der Spätzeit: Die Braut von Messina; Demetrius (915) DM 3.–
- Schriften zur Ästhetik, Literatur und Geschichte. Aus dem Inhalt: Über den Grund des Vergnügens an tragischen Gegenständen; Über das Erhabene; Briefe über Don Carlos; Über Egmont; Was heißt und zu welchem Ende studiert man Universalgeschichte? (925) DM 3.–
SCHLEGEL, FRIEDRICH: Lucinde (1855) DM 3.–
SCHOPENHAUER, ARTHUR: Ausgewählte Werke in 2 Bänden:
- Aphorismen zur Lebensweisheit (7519) DM 5.–
- Auswahl aus seinen Schriften. Aus dem Inhalt: Erkenntnistheorie; Religion; Erotik; Ästhetik; Moral; Freiheit des Willens; Geschichte und Literatur; Politik (837) DM 3.–

SHAKESPEARE, WILLIAM: Gesammelte Werke in 16 Bänden:
- Komödien I: Die Komödie der Irrungen; Der Widerspenstigen Zähmung; Die beiden Veroneser (1517) DM 3.–
- Komödien II: Liebes Leid und Lust; Ein Sommernachtstraum (1518) DM 3.–
- Komödien III: Der Kaufmann von Venedig; Viel Lärm um nichts (1519) DM 3.–
- Komödien IV: Wie es euch gefällt; Was ihr wollt (1520) DM 3.–
- Komödien V: Die lustigen Weiber von Windsor; Ende gut, alles gut (1521) DM 3.–
- Komödien VI: Troilus und Cressida; Maß für Maß (1522) DM 3.–
- Tragödien I: Romeo und Julia; Julius Cäsar (1523) DM 3.–
- Tragödien II: Hamlet; Othello (1524) DM 3.–
- Tragödien III: König Lear; Macbeth; Timon von Athen (1525) DM 3.–
- Tragödien IV: Antonius und Cleopatra; Coriolanus (1526) DM 3.–
- Königsdramen I: König Heinrich VI., 1. Teil; König Heinrich VI., 2. Teil; König Heinrich VI., 3. Teil (1527) DM 3.–
- Königsdramen II: König Richard III.; König Richard II. (1528) DM 3.–
- Königsdramen III: König Heinrich IV., 1. Teil; König Heinrich IV., 2. Teil (1529) DM 3.–
- Königsdramen IV: König Heinrich V.; König Heinrich VIII. (1530) DM 3.–
- Märchenspiele: Das Wintermärchen; Der Sturm (1531) DM 3.–
- Epen und Sonette: Venus und Adonis; Lucretia; Sonette (1532) DM 3.–

STERNE, LAURENCE: Empfindsame Reise nach Frankreich und Italien (2493) DM 3.–

STIFTER, ADALBERT: Ausgewählte Werke in 10 Bänden:
- Studien I: Der Kondor; Feldblumen; Das Heidedorf; Der
- Hochwald (964) DM 3.–
- Studien II: Die Narrenburg; Die Mappe meines Urgroßvaters
  (994) DM 3.–
- Studien III: Abdias; Das alte Siegel; Brigitta (1306) DM 3.–
- Studien IV: Der Hagestolz; Der Waldsteig (1312) DM 3.–
- Studien V: Zwei Schwestern; Der beschriebene Tännling (1313)
  DM 3.–
- Bunte Steine: Granit; Kalkstein; Turmalin; Bergkristall; Kat-
  zensilber; Bergmilch (1375) DM 5.–
- Die drei Schmiede ihres Schicksals und andere Erzählungen:
  Der Waldgänger; Prokopus (1376) DM 3.-
- Der Waldbrunnen und andere Erzählungen: Nachkommen-
  schaften; Der Waldbrunnen; Der Kuß von Sentze; Der fromme
  Spruch (1377) DM 3.–
- Der Nachsommer. Eine Erzählung (1378/79/80) DM 8.–
- Briefe (1381) DM 3.–
STORM, THEODOR: Ausgewählte Werke in 5 Bänden:
- Immensee und andere Novellen: Im Saal; Ein grünes Blatt;
  Im Sonnenschein; Auf dem Staatshof; Auf der Universität;
  Von jenseits des Meeres; Draußen im Heidedorf (7524)
  DM 5.–
- Pole Poppenspäler und andere Novellen: Beim Vetter Chri-
  stian; Viola tricolor; Psyche; Aquis submersus (1410) DM 3.–
- Die Söhne des Senators und andere Novellen: Carsten Cura-
  tor; Eekenhof; Zur Chronik von Grieshuus (1411) DM 3.–
- Der Schimmelreiter und andere Novellen: Ein Fest auf Ha-
  derslevhuus; Ein Bekenntnis (1412) DM 4.–
- Gedichte und Märchen: Der kleine Häwelmann; Hinzelmeier;
  Die Regentrude; Bulemanns Haus u. a. (1413) DM 3.-

WILHELM GOLDMANN VERLAG MÜNCHEN